EVEREST

Enciclopedia
BÁSICA
del estudiante

Volumen 6: Sij-Índice

Dirección editorial:
Raquel López Varela
Coordinación editorial:
Ana Rodríguez Vega
Redacción y corrección:
Carmen Gutiérrez
Ignacio Viñuela Fernández
Ana Cristina López Viñuela
Luis Manuel Fernández Arrojo
Yolanda Lobejón Sánchez
Asesores pedagógicos:
Departamento de Enseñanza
de la Editorial Everest
Diseño de interiores:
Blas Rico
Diseño de cubierta:
Francisco A. Moráis
Diagramación y maquetación:
RSP Sistemas Gráficos, S.A.
Cartografía:
Georama, Agència
Geogràfica, S. L.

Ilustraciones:
Alfredo Anievas
Belén Eizaguirre Albear
Carlos Martín Suaz
Carlos Molinos Lezaún
Carlos Requejo
Esther Pérez-Cuadrado
Martínez
Fernando Sánchez
Francisco A. Moráis
Gustavo Alejandro Otero
Isabel Nadal Romero
Jorge Werffeli
J. Lluís Ferrer i Rozalen
José María Rueda Delgado
Juan Pablo Navas Rosco
Malena Fuentes Alzú
Pablo Jurado Sánchez
Pablo Schugurensky
Dargoltz
Pere Lluís León
Ricardo Salas
Silvia Muntané i Serrano
Teresa González García

Fotografías:
A. Salas Ximelis
Adrián Burns
Agustín Berrueta
Ángel Segura
Archivo Fotográfico Everest
Archivo Oronoz
Asprona León
Cordon Press,
Agencia de Prensa
Estudio Imagen MAS
Francisco Díez
Gabriel Mª Pou Riesco
Georama, Agència
Geogràfica, S. L.
Hewlett-Packard España
Javier Grau
Javier Ibáñez Galindo

Tratamiento digital de imágenes:
David Aller
Ángel Rodríguez Martínez
Alfredo Anievas
Francisco A. Moráis

Jesús Umbría
Juanjo Arrojo
Juan José Pascual
Justino Díez
Miguel Raurich
Miguel Sánchez
y Puri Lozano
Nano Cañas
Oliviero Daidola
Oscar Díez
Paolo Tiengo
Prisma Archivo
Fotográfico, S. L.
Rafael Vidaller
Román Hereter Pascual
Santiago Yaniz
Trece por Dieciocho
Undine Von Rönn

© EDITORIAL EVEREST, S. A.
Carretera León-La Coruña, km 5 - LEÓN
ISBN: 84-241-1832-4 (Obra completa)
ISBN: 84-241-1838-3 (Tomo 6)
Depósito legal: LE. 1138-2005
Printed in Spain - Impreso en España

EDITORIAL EVERGRÁFICAS, S. L.
Carretera León-La Coruña, km 5
LEÓN (España)

www.everest. es
Atención al cliente: 902 123 400

Iconos y símbolos

Cada palabra va acompañada de un icono o símbolo que indica la materia a la que pertenece. Así, todos los animales llevarán el icono del pato, las plantas el de la flor, la informática el del ratón, los transportes el del barco, etc.

El color del icono también es importante, ya que los cuadros que acompañan a la palabra van en ese color. Por ejemplo, los cuadros del adjetivo o del adverbio son de color verdemar.

De esta forma, al hojear la enciclopedia encontrarás de forma rápida las palabras que están relacionadas con la materia que te interese. Y, por otra parte, también te resultará fácil situar cada palabra que busques en su entorno.

En los cuadros de la enciclopedia encontrarás otros símbolos que indican si se trata de curiosidades, experimentos, glosario o datos generales sobre continentes y países.

Generales

 Curiosidades

 Experimentos

 Glosario

 Datos generales

Temáticos

 Animales

 Derecho y Economía

 Matemáticas

 Religiones y mitos

 Arte

 Filosofía

 Música y danza

 Tecnología y comunicaciones

 Ciencias

 Historia

 Países y lugares

 La Tierra

 Cuerpo humano, salud y alimentación

 Informática

 Plantas

 Transportes

 Deportes y ocio

 Lengua y literatura

 Política y sociedad

 El Universo

sij

Los sijs son un pueblo que vive en la región del Punjab, entre la India y Pakistán. Su religión fue fundada por **Nanak** en el siglo XV. Su templo más importante es el Templo Dorado de Amritsar y su libro sagrado es el *Gurú Granth Sahib*. Sus seguidores han llevado a cabo algunos atentados, como el asesinato de Indira Gandhi, primera ministra de la India, en 1984.

Templo de Oro, Amristar, India.

sílex

El sílex es una piedra de color gris, blanco o pardo, formada por una variedad impura del cuarzo. Los seres humanos que vivieron durante la Edad de Piedra fabricaron herramientas como cuchillos y lanzas, que fueron utilizadas durante miles de años, talladas en esta piedra. El empleo del sílex se generalizó porque esta piedra es fácil de encontrar, es dura y al golpearla se rompe en láminas cortantes.

CURIOSIDADES

Edad de Piedra

El nombre de Edad de Piedra hace referencia precisamente a que este material era el más empleado por el hombre para fabricar herramientas durante esa época. Aunque el sílex era la materia prima fundamental en la producción de instrumentos, otros, como los huesos, también eran frecuentemente utilizados.

Silva, José A.

José Asunción Silva [1867-1895] es un **poeta colombiano**. Las continuas desgracias que vivió le llevaron al suicidio. Marcó el paso del Romanticismo al Modernismo y su producción poética es muy importante. Escribió *Nocturno III* (1891) y *De sobremesa* (1896), de carácter autobiográfico.

sindicato

Los sindicatos son asociaciones de trabajadores dedicadas a mejorar sus salarios y las condiciones en que desempeñan su trabajo (horario, vacaciones, seguridad laboral, etc.). Los primeros sindicatos se formaron como consecuencia de la revolución industrial en Europa occidental y EE UU. Sirven de puente entre los trabajadores y los empresarios y, en muchos países, negocian directamente con los gobiernos las diferentes reformas laborales. Los sindicatos pueden convocar una huelga, en la que los obreros paralizan su trabajo como protesta, para presionar en las negociaciones.

Hay **sindicatos generales** que tienen como afiliados a trabajadores de cualquier sector y **sindicatos profesionales**, cuyos afiliados pertenecen a actividades determinadas: sindicatos de pintores, albañiles o abogados.

Las centrales sindicales CNT (Confederación Nacional de Trabajadores) y UGT (Unión General de Trabajadores) tuvieron un destacado papel durante la Guerra Civil española.

Singapur

DATOS

Singapur es un país del sureste de Asia. Comprende una isla grande y una serie de islas menores. La isla mayor se llama Singapur y su relieve presenta algunas pequeñas elevaciones. Sus ríos principales son el Sungel y el Seletar. Tiene temperaturas altas y lluvias abundantes durante todo el año. Su **economía** se basa en la actividad financiera, el comercio y la industria: naviera, mecánica, metalúrgica, etc. La historia actual de Singapur comienza en 1819, cuando fue fundado por **Sir Stamford Raffles**, de la Compañía Británica de las Indias Orientales. Fue colonia británica desde 1867 hasta 1959. Formó parte de Malaysia desde 1963 hasta 1965.

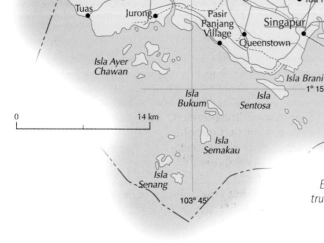

Chica con traje típico en un desfile.

*Mercado típico en las calles de **Chinatown**, centro cultural de Singapur, repleto de templos budistas y vendedores de mercancías muy diversas.*

Singapur

- **Habitantes**
  4 183 000
- **Superficie**
  744 km²
- **Densidad**
  5 624 hab./km²
- **Capital**
  Singapur
- **Sistema de gobierno**
  República parlamentaria de tendencia autoritaria
- **Idioma**
  Chino, malayo, tamil e inglés
- **Moneda**
  Dólar de Singapur

*En la ciudad de **Singapur**, capital del país, se mezclan los edificios de la época colonial (⟋ colonialismo), con las formas y el colorido propios de la región y los modernos rascacielos de la zona financiera.*

Mapa

MALAISIA

Senokó
Woodlands
Sembawang
Kampong Kranji
Bukit Mandai Village
Nee Soon
Punggol
Isla Ubin
Estrecho Johore
Isla Tekong Besar
Bukit Panjang
Choa Chu Kang
Isla Singapur
Serangoon
Changi
Yan Kit
104°
Bukit Timah Village
Toa Payoh
Bedok
Tuas
Jurong
Pasir Panjang Village
Singapur
Queenstown
Isla Ayer Chawan
SINGAPUR
Estrecho de Singapur
Isla Brani
1° 15'
Isla Bukum
Isla Sentosa
Estrecho Johore

0 — 14 km

Isla Semakau
Isla Senang
103° 45'

*Edificio de la **Corte Suprema**. Fue construido en la época colonial (⟋ colonialismo), al igual que el edificio del Parlamento, en el que destacan sus columnas corintias.*

sintoísmo

El sintoísmo es la religión nacional de Japón. Aunque durante algún tiempo perdió seguidores en favor del budismo, a partir del siglo XVIII se volvió a considerar el sintoísmo religión nacional. Para el sintoísmo no hay un ser superior como en otras religiones, sino una verdad suprema que se halla en todas las cosas.

Sacerdote y templo sintoístas.

sirena

La sirena, según la **mitología**, es una criatura marina que tiene la cabeza y el torso de mujer, y cola de pez. Se las considera seres hermosos y se suelen representar sobre una roca peinándose su largo cabello. Según la leyenda, las sirenas atraen a los marineros con sus cantos hasta lograr que sus barcos naufraguen.

Para algunos pueden encontrarse semejanzas con las sirenas en la diosa Afrodita, hija de Zeus, diosa del amor y protectora de los marineros. Su espejo habría sido heredado por toda la estirpe de sirenas que pueblan los distintos mares.

La sirenita de Copenhague, uno de los símolos emblemáticos de la ciudad.

Sioux

Los sioux fueron una gran **confederación de tribus** de las llanuras centrales. Se dividen en tres tribus principales correspondientes a tres dialectos llamados Dakota o Santee (divididos en Mdewakantonwon, Wahpeton, Wahpekute y Sisseton), Nakota o Yankton (divididos en Yankton, Upper Yanktonai y Lower Yanktonai) y Lakota o Tetons (divididos en Oglala, Sicangu, Hunkpapa, Miniconjous, Sihasapa, Itazipacola y Oohenupa). Vivían de la caza del búfalo, el antílope y otras especies. Su enfrentamiento con los colonos y el ejército fue dirigido por grandes líderes como Sitting Bull, Red Cloud o Crazy Horse. Aliados a los cheyennes obtuvieron en 1876 la victoria de Little Big Horn contra el 7º de Caballería del general Custer. Reducidos a reservas y emigrados en parte a Canadá protagonizaron el último enfrentamiento de las guerras indias en 1890 en Wounded Knee.

CURIOSIDADES

La Sirenita y H. A. Andersen

El cuento *La Sirenita* es una de las obras más populares del escritor Hans Christian Andersen. Esta criatura se convirtió en uno de los símbolos nacionales de Dinamarca, el país natal del autor que la sacó de su imaginación, hasta tal punto que hay en la ciudad de Copenhague una sirenita que fue encargada por el cervecero Carl Jacobsen y que se ha convertido desde su instalación en 1913 en una de las imágenes más fotografiadas de esta capital. Además no hay que olvidar que la factoría Disney se encargó de llevar esta historia al cine, propagando aún más su fama.

Siria

Siria es un país de Asia occidental. En su relieve se distinguen mesetas bordeadas por los montes del Antilíbano y áridos desiertos. Su río principal es el **Éufrates**. El **clima** es caluroso y seco, sobre todo en las tierras desérticas. En los lugares donde se aprovecha el regadío se cultiva algodón, cebada, vid, frutales y trigo. Son importantes las explotaciones de petróleo, gas natural y asfalto. Siria es un país de gran tradición. Por aquí pasaron algunas de las civilizaciones más antiguas: la persa, la romana o la turca. Los árabes se asentaron en el siglo VII d. C. e impusieron el Islam. La dominación turca y francesa del siglo XX culminó con la **independencia** en 1946. Ha desarrollado un papel activo en todos los enfrentamientos de los países vecinos: en la guerra entre Irán e Irak, en el Líbano, en la guerra del Golfo, etc. Israel ocupa una parte estratégica de Siria: los Altos del Golán.

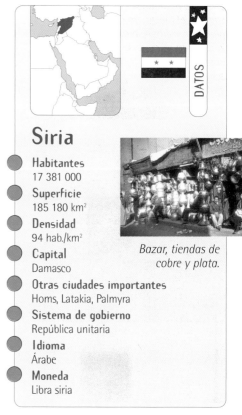

Aguador en el Zoco de Damasco. Su figura sigue formando parte del ambiente de este gran mercado. En su cintura lleva vasos y a su espalda lleva una especie de enorme tetera de plata, con dos salidas para el líquido: una de ellas sirve para servir bebida fresca (antiguamente agua, actualmente té frío o zumos); la otra, para lavar los vasos.

*Puerto de **Latakia** (antigua Laodicea), ciudad siria cuyo puerto fue un importante centro comercial con gran actividad. Fue colonia romana y recibió el nombre de Julia.*

Mausoleo de Saida Zeinab, centro de peregrinación de los chiítas (☞ Islam), Damasco.

Gran Mezquita de los Omeyas, Damasco. Fue construida entre los años 705-715 en el lugar que ocupaban otros antiguos santuarios.

DATOS

Siria

- **Habitantes**
  17 381 000
- **Superficie**
  185 180 km²
- **Densidad**
  94 hab./km²
- **Capital**
  Damasco
- **Otras ciudades importantes**
  Homs, Latakia, Palmyra
- **Sistema de gobierno**
  República unitaria
- **Idioma**
  Árabe
- **Moneda**
  Libra siria

Bazar, tiendas de cobre y plata.

sistema métrico

El sistema métrico decimal es un **sistema de unidades físicas**, basado en el número diez, que toma su nombre de la unidad de longitud, el metro. El **metro** se definió como una diezmillonésima parte de la distancia que separa al ecuador del polo norte a lo largo del meridiano de París. El sistema métrico decimal se basa en una serie sucesiva de unidades, cada una de las cuales es 10 veces mayor que la anterior y 10 veces menor que la siguiente. Así, el metro es 10 veces mayor que el decímetro y 10 veces menor que el decámetro. El sistema métrico decimal es la base del sistema internacional y ha sido aceptado como sistema de pesos y medidas por la mayoría de los países (¤ medidas).

Para hallar la medida de un metro, los científicos Jean Delambre y Pierre Méchain se encargaron de medir la distancia de Dunquerque, en el norte de Francia, a Barcelona, en España. Los trabajos duraron seis años debido a las guerras.

*Se crearon unos patrones con las medidas oficiales, guardados celosamente, por ejemplo el metro era una barra de platino e iridio. Aún ahora el **kilogramo** se mide según el prototipo conservado en París.*

Antiguamente cada zona tenía sus propias medidas, que no tenían subdivisiones decimales. Por ejemplo, los agricultores medían el grano utilizando unos cajones de cierta capacidad, como los de la fotografía. Aún ahora hay países, como Reino Unido, que no emplean el sistema métrico decimal y siguen midiendo las distancias en pulgadas, pies, millas, leguas y yardas, los pesos en libras y onzas, la capacidad en galones y pintas, las superficies en millas y acres, etc., pero la existencia de unas medidas universales facilita el comercio y la ciencia.

Sistema Solar

El Sistema Solar es un conjunto de cuerpos celestes formado por el Sol y nueve planetas, llamados en orden de distancia al Sol: Mercurio, Venus, Tierra, Marte, Júpiter, Saturno, Urano, Neptuno y Plutón. Además, en el Sistema Solar se encuentran los satélites de los planetas y también asteroides, cometas, meteoros, y polvo y gas cósmico. El Sistema Solar es el único sistema planetario conocido, aunque se sospecha la existencia de otros grupos de planetas organizados en torno a una o varias estrellas. Todos los planetas de este sistema se mueven alrededor del Sol, en dirección de oeste a este, siguiendo órbitas que se encuentran más o menos en el mismo plano, excepto las de Mercurio y Plutón, que son más inclinadas. Se cree que todos los cuerpos del Sistema Solar se originaron al mismo tiempo que el Sol, hace 4 700 millones de años.

Los nueve planetas del Sistema Solar tienen tamaños muy variables, desde los 142 800 km de diámetro de Júpiter hasta los 4 878 de Mercurio, el más pequeño. La Tierra, con 12 756 km, es el quinto en tamaño.

Planetas

Sócrates

Sócrates [470 a. C.-399 a. C.] fue un **filósofo griego**. Fue condenado a suicidarse acusado de no aceptar a los dioses de Atenas y por corromper a los jóvenes. Sus doctrinas fueron recogidas por alguno de sus discípulos como Platón. Sócrates partía del reconocimiento de la propia ignorancia (suya es la frase "Sólo sé que no sé nada") para intentar llegar a la verdad, yendo de lo conocido y particular, hasta lo general. Para profundizar en una idea primero recogía ejemplos, los estudiaba y contrastaba entre sí, y de esta forma alcanzaba lo

En el cuadro La escuela de Atenas de Rafael, que es un símbolo de la historia de la filosofía, aparece Sócrates discutiendo con un grupo de jóvenes.

que tenían en común. Muchos creyeron que era un **sofista** más, pero era exactamente lo contrario. No se consideraba maestro de nadie, ni cobraba por sus enseñanzas. No se dedicaba a la política, ni hacía discursos, ni escribía libros. Simplemente conversaba, puesto que creía que dialogando con las personas, haciéndose preguntas y buscando juntos respuestas, se alcanzaban la sabiduría y la verdad.

Los sofistas

La palabra *sophistes* significaba "maestro en sabiduría" y así se llamaban a sí mismos ciertos intelectuales griegos de la época de Sócrates que iban de ciudad en ciudad, participaban en la política y cobraban por sus lecciones. Enseñaban a desenvolverse en la sociedad, a utilizar el lenguaje de forma persuasiva, de forma que se pudiera convencer a los demás para que pensaran o actuaran según a ellos les interesaba, puesto que no daban importancia a la verdad y consideraban las leyes como simples acuerdos entre seres humanos.

software

El software es el **conjunto de programas y aplicaciones** que se utilizan en un ordenador. Se podría decir que el software se opone al hardware, que es su soporte físico y, en comparación con este último, de coste mucho menos elevado. El software es, en definitiva, el conjunto de instrucciones que el ordenador puede entender y que es necesario para usar ciertas aplicaciones, como hojas de cálculo, procesadores de textos, etc.

Los iconos son también una guía y un acceso rápido para activar las funciones.

Los programas incorporan sistemas para obtener ayuda y saber cómo actuan las diferentes funciones.

Los menús desplegables facilitan la búsqueda rápida de las funciones de la aplicación.

Al pie de la pantalla, o en un desplegable se sitúan a veces funciones de uso frecuente. En este caso nos facilita movernos con rapidez por los distintos registros o fichas de una base de datos.

Sol

El Sol es una estrella de la galaxia llamada Vía Láctea, que forma el llamado Sistema Solar junto a una serie de planetas, como la Tierra, que giran en torno a él. Su diámetro es de 1 390 734 km y su masa es 333 432 veces mayor que la de la Tierra. La temperatura en la superficie de esta estrella es de 5 987 °C. El elemento más importante de los que lo componen es el hidrógeno, aunque también se encuentran otros como calcio, helio, hierro, cobalto, níquel, etc. El Sol está estructurado internamente en varias capas. La central, llamada **núcleo**, está constituida por gases que llegan a alcanzar los 18 millones de grados centígrados. La superficie visible del Sol se llama **fotosfera** y está rodeada por una especie de atmósfera, llamada **cromosfera**, formada por gases y vapores incandescentes, donde se producen unas llamaradas rojas de varios miles de kilómetros de altura.

Las erupciones solares son inmensas nubes de gas resplandeciente que se forman en la parte superior de la cromosfera.

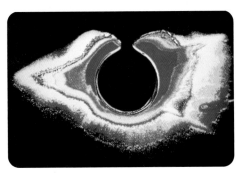

La corona del Sol es la parte exterior la cromosfera. Las regiones externas de la corona se expanden hacia el espacio y consisten en partículas que se alejan lentamente del Sol.

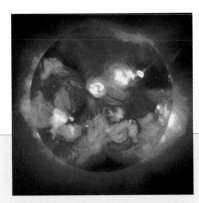

Manchas en el Sol

Las manchas solares son unas manchas oscuras que se observan sobre la superficie del Sol. Éstas tienen en su centro una zona de penumbra donde la temperatura es menor (unos 4 800 °C). Las manchas solares no se encuentran fijas sino que se mueven, lo que permite calcular el período de rotación del Sol, que es de unos 25 días.

sólido

El sólido es el estado físico de la materia en el que se encuentran los cuerpos que no varían de forma ni de tamaño. En los sólidos, las moléculas que los constituyen se encuentran muy cercanas y distribuidas de forma regular, formando estructuras como las de los cristales. Muchas sustancias que se encuentran en estado líquido pasan a estado sólido al bajar la temperatura ( agua). A esa temperatura en la que el líquido pasa a sólido se la conoce como **punto de fusión** o de congelación.

Si ponemos agua en la cubitera y la metemos en el congelador se transforma en cubitos de hielo sólido. El agua se solidifica a 4 °C.

Tipos de cuerpos sólidos

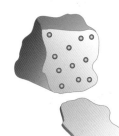

Cuerpos cristalizados

Las partículas de la materia cristalina están ordenadas en el espacio y ocupan posiciones fijas. Cuando este orden se refleja en el exterior del objeto, que adopta una forma geométrica, se denominan cuerpos cristalizados o cristales.

Cuerpos cristalinos

Los cuerpos formados por materia cristalina, pero con forma externa irregular se denominan cuerpos cristalinos.

Cuerpos amorfos

Los sólidos formados por materia amorfa, es decir, aquella en que sus partículas están desordenadas y no ocupan un lugar fijo en el espacio tienen forma externa irregular y se llaman cuerpos amorfos.

Somalia

Somalia es un país de África, situado en la costa oriental. Su **relieve** se caracteriza por la presencia de mesetas desérticas y llanuras flanqueadas por los montes Ogo al norte. Su costa es baja y arenosa. Las temperaturas son bastante altas y las lluvias son escasas. Se cultiva arroz, maíz, algodón y caña de azúcar. La ganadería y la industria textil y alimentaria completan la economía del país. El territorio de Somalia estuvo repartido entre entre los británicos e Italia y formaba parte de una importante ruta comercial. La unión y la **independencia** llegó en 1960.

Somalia era el país de Punt en la época egipcia y siglos después los romanos lo llamaron "país de los aromas", pues de allí traían el incienso. En el siglo VIII fueron los árabes quienes fundaron varios establecimientos comerciales en la costa.

La pesca a explosión ha dañado los arrecifes de coral y las plantas acuáticas. La destrucción de los entornos de varias especies de peces podría poner en riesgo las futuras capturas. Existen 74 especies animales amenazadas, entre mamíferos, plantas y aves.

La guerra civil comenzó en 1991. Las sequías y la guerra desembocaron en una gran hambruna por lo que la ONU aprobó a fines de 1992 el envío de 28 000 soldados con el pretexto de remediarla y de reimpulsar el proceso de paz.

Somalia

DATOS

- **Habitantes**
  9 480 000
- **Superficie**
  637 660 km²
- **Densidad**
  15 hab./km²
- **Capital**
  Mogadiscio
- **Otras ciudades importantes**
  Chisimaio, Hargeysa
- **Sistema de gobierno**
  República presidencialista
- **Idioma**
  Somalí y árabe
- **Moneda**
  Chelín somalí

sónar

El sónar es un sistema de detección de obstáculos u objetos basado en la reflexión (espejo) de las ondas de sonido en el agua. El sónar es, pues, un sistema semejante al radar, que se basa en la reflexión de las ondas de radio en el aire. La palabra sónar procede de la expresión inglesa *SOund Navigation And Ranging*, que quiere decir 'navegación y alcance del sonido'. Este sistema funciona de la siguiente forma: emite una serie de ultrasonidos y recoge los que vuelven hacia él, tras reflejarse al chocar contra un objeto. El sónar se utiliza en los submarinos, para detectar la presencia de barcos enemigos y para estudiar el fondo oceánico.

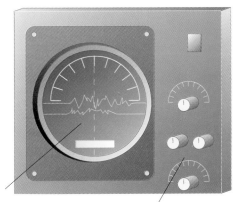

Pantalla

Panel de control

sonido

Los sonidos son fenómenos físicos que consisten en vibraciones de los cuerpos transmitidas por el aire, aunque también se consideran sonidos las transmitidas en medios líquidos o sólidos. Los sonidos tienen una frecuencia de entre 15 y 20 000 herzios. La **frecuencia** de un sonido es el número de oscilaciones que su onda efectúa en un tiempo determinado. Un **herzio** equivale a un ciclo u oscilación por segundo. La frecuencia de un sonido se percibe como un **tono** más grave (de menor frecuencia, como el mugido de una vaca) o más agudo (de mayor frecuencia, como el chillido de una gaviota). Los seres humanos percibimos sólo aquellos sonidos cuya frecuencia se encuentra entre 20 y 20 000 herzios.

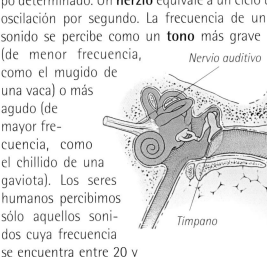

Nervio auditivo

Entrada de ondas sonoras

Tímpano

Intensidad del sonido

La intensidad de un sonido depende de su amplitud de onda, cuanta más diferencia haya entre las áreas de baja y alta presión mayor será la intensidad. En cambio, la longitud de onda determina la frecuencia, que hará que el sonido sea más grave o más agudo. El oído humano no está capacitado para percibir sonidos de pocos **decibelios** (dB), es decir, poco intensos. En cambio, los sonidos excesivamente fuertes pueden dañar los oídos.

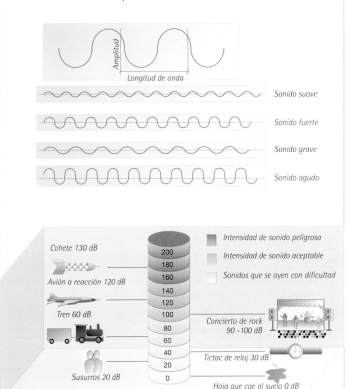

Amplitud

Longitud de onda

Sonido suave

Sonido fuerte

Sonido grave

Sonido agudo

Cohete 130 dB

Avión a reacción 120 dB

Tren 60 dB

Susurros 20 dB

200 180 160 140 120 100 80 60 40 20 0

Intensidad de sonido peligrosa

Intensidad de sonido aceptable

Sonidos que se oyen con dificultad

Concierto de rock 90 - 100 dB

Tictac de reloj 30 dB

Hoja que cae al suelo 0 dB

CURIOSIDADES

La velocidad de propagación del sonido

El sonido se propaga por el aire a una velocidad que varía en función de la temperatura. A 0 °C, la velocidad del sonido es de 331,6 m/s y aumenta al aumentar la temperatura. En los líquidos y en los sólidos el sonido se propaga más velozmente. En el agua su velocidad es de 1 500 m/s a temperatura normal.

Sorolla, Joaquín

Joaquín Sorolla [1863-1923] fue un **pintor español**. En su obra es clara la influencia del impresionismo. Trata muy bien la luz, y le gusta pintar el mar y la pesca. Algunos de sus cuadros son: *Aún dicen que el pescado es caro*, *Otra Margarita*, *La vuelta de la pesca*, *Niños jugando en la playa*, etc.

Sorolla trabajó mucho el retrato. En las fotos se muestra el que le hizo al escritor español Benito Pérez Galdós.

Sotomayor, Javier

Javier Sotomayor [n. 1967] es un **atleta cubano**, especializado en **salto de altura** y poseedor de la plusmarca mundial en esta modalidad desde 1988. Los hitos más importantes de su carrera son la medalla de oro que consiguió en los Juegos Olímpicos de Barcelona 1992 y el campeonato mundial en 1993. Su proyección internacional quedó truncada en cierta medida al no poder participar en las Olimpiadas de Atlanta 96, pues Cuba se negó a participar en suelo estadounidense. Posteriormente, tampoco pudo saltar en Sidney 2000, tras ser acusado del uso de sustancias prohibidas y dar positivo en el control antidóping, aunque tras varios recursos todavía no se ha demostrado absolutamente su culpabilidad. En 1993 se le concedió el premio Príncipe de Asturias de Deportes.

Spielberg, Steven

Steven Spielberg [n. 1947] es un director de cine estadounidense. Sus películas suelen ir acompañadas de grandes éxitos de taquilla. Algunas de éstas son *Tiburón* (1975), *En busca del arca perdida* (1981), *E.T.* (1982), *Parque Jurásico* (1993), *La lista de Schindler* (1993, premiada con varios Oscar), *Salvar al soldado Ryan* (1998), *Minority Report* (2002) y *La guerra de los mundos* (2005).

Spitz, Mark

Mark Spitz [n. 1950] es un **nadador estadounidense**. Estudió en la universidad de Indiana y ya en 1968, con sólo 18 años, consiguió dos medallas de oro en pruebas de equipo con el combinado americano durante los Juegos Olímpicos de México 1968. En las siguientes Olimpiadas, Munich 1972, Spitz consiguió un récord no igualado hasta el momento al lograr siete medallas de oro en unos mismos Juegos: cuatro de ellas en pruebas individuales: 100 y 200 metros estilo libre, y 100 y 200 metros estilo mariposa (⌒ natación) y otras tres en pruebas de relevos con la selección de su país. Posteriormente, se convirtió en profesional y, desde entonces, ha aparecido en varias películas.

Springsteen, Bruce

Bruce Springsteen (n. 1949) Cantante de rock estadounidense, conocido también bajo el seudónimo de *The Boss*. Se inició en la música con el grupo The Castiles en 1965, muy del estilo de The Beatles. En 1969 crea un nuevo grupo, Bruce Springsteen Band, con el que consigue su primer contrato. En 1973 publica su primer álbum *Greetings from Asbury Park* pero no fue hasta su tercer álbum, *Born to Run*, cuando obtuvo el reconocimiento musical. Sus canciones de rock clásico, ligadas lejanamente con el folk y el country, desprenden la rebeldía propia de este tipo de música. Otros discos de éxito son *The river* (1978), *Nebraska*, *Born in the U.S.A.* (1984), *Dancing in the dark*, *The Rising* (2002) y *Devils and Dust* (2005).

Después, en el año 200 d. C. fueron los reyes tamiles de la India los que invadieron el país e hicieron retroceder a los cingaleses hacia el sur. Aquí comenzaron unos enfrentamientos que se mantendrán a lo largo de la historia. Portugueses, holandeses y británicos, que llamaron a la isla **Ceilán**, fueron los siguientes ocupantes, hasta que en 1948 logró la independencia y en 1972 cambió el nombre por el de Sri Lanka.

Ruinas en Polonnaruwa, que fue la segunda capital de Sri Lanka, en los siglos XI y XII.

Sri Lanka

Sri Lanka es un país del sur de Asia. Es una isla formada por mesetas bajas que se elevan considerablemente en el centro y sur. Algunos de sus ríos son el Kiriudi o el Waiave. El **clima** de Sri Lanka distingue una zona húmeda, en el centro, y otra seca, en el resto de la isla. La **economía** se basa en la agricultura, con cultivos de té, producto del que es uno de los mayores productores, caña de azúcar, canela y arroz. Hay industria textil, del caucho y artesanía. Los cingaleses se impusieron sobre los pobladores veddas que ocupaban esta zona hacia el año 500 a. C. y llamaron a la isla Cingala.

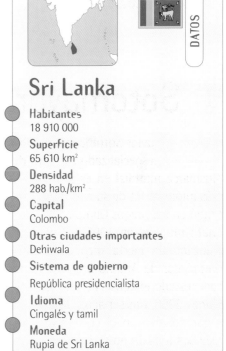

Pescador.

Sri Lanka

- **Habitantes**
  18 910 000
- **Superficie**
  65 610 km²
- **Densidad**
  288 hab./km²
- **Capital**
  Colombo
- **Otras ciudades importantes**
  Dehiwala
- **Sistema de gobierno**
  República presidencialista
- **Idioma**
  Cingalés y tamil
- **Moneda**
  Rupia de Sri Lanka

Mujeres tamiles recolectando té.

Stalin, Jósiv

Jósiv Stalin [1879-1953] fue un **político soviético**. Ya siendo joven fue detenido y encarcelado en diversas ocasiones. Colaboró con Lenin y fue secretario general del Partido Comunista (☞ comunismo) en 1922 y jefe del estado tras la muerte de Lenin en 1924. Dio un importante impulso económico al país y favoreció su industrialización. Cuando las tropas alemanas invadieron Rusia en 1941 (☞ I Guerra Mundial), acumuló todos los poderes y logró anexionar los países bálticos (Estonia, Letonia y Lituania) y Varsovia, y extender su poder sobre Europa oriental. En 1946 se nombró primer ministro de la URSS y murió en 1953.

Stalin en 1922, cuando ya era secretario general del Partido Comunista y colaborador de Lenin.

Política exterior

Aunque la URSS se unió a los aliados contra las potencias del Eje (Alemania, Italia, Japón) en la II Guerra Mundial, la Guerra Fría comenzó muy pronto, por la mutua desconfianza entre el bloque de los países capitalistas y el de los comunistas.

Churchill, Roosevelt y Stalin durante la Conferencia de Yalta, en febrero de 1945, en la se repartieron el mundo entre los vencedores de la guerra.

Stefano, Alfredo di

Alfredo di Stefano [n. 1926] es un **futbolista** nacido en Argentina y nacionalizado español, conocido con el sobrenombre de "la saeta rubia", y que está incluido entre los cuatro mejores de la historia. Defendió las camisetas de tres selecciones nacionales: Argentina, Colombia y España; convirtiéndose en uno de los escasos deportistas que lo ha hecho. Los mayores logros de su carrera profesional los consiguió como delantero del Real Madrid, con el que ganó 5 copas de Europa y 8 campeonatos de Liga. Durante su etapa como jugador también militó en el River Plate de Argentina, en el Millonarios de Colombia y en el RCD Espanyol de Barcelona, donde jugó su última temporada. Posteriormente dirigió, como entrenador, al Real Madrid y al Valencia, con el que obtuvo un título de Liga.

Entrada del estadio Santiago Bernabéu.

CURIOSIDADES

¡¡Hala Madrid!!

La vida profesional de Alfredo di Stefano está estrechamente ligada al Real Madrid, con el que consiguió algunos de sus mayores éxitos. Por ello en el año 2000 fue nombrado Presidente de Honor del club blanco.

Steinbeck, John

J ohn Stein-
beck [1902-
1968] fue un **novelista
estadounidense**. Escribió
novelas como *En dudosa
batalla* (1936), *Las uvas
de la ira* (1939), *La perla*
(1947), *Al Este del Edén*
(1952), etc. En 1962 recibió el premio Nobel de
Literatura.

*John Steinbeck describió en
su obra la lucha de las gentes que dependen de la tierra para sobrevivir.*

Stewart, Jimmy

J immy Stewart [1904-1997] fue un **actor estadounidense**, iniciado en el teatro hasta que en
1935 comenzó su brillante carrera en el cine. Intérprete fundamentalmente de comedias y prototipo de americano del
New Deal, destacó en filmes de Capra y en el *western*. Entre
sus pelícuals destacan
Historias de Filadelfia
(1940, con la que
recibió el Oscar al
mejor actor), *Vive
como quieras* (1938),
¡Qué bello es vivir!
(1946), *Flecha rota*
(1950) *y El mayor
espectáculo del m
undo* (1952). Trabajó
también bajo las
órdenes de Hitchock
en películas como
Vértigo y *La soga*.

Stone, Oliver

O liver Stone [n. 1946] es un **escritor**, **guionista**,
director y productor de cine estadounidense.
En 1978 escribió el guión de *Expreso de Medianoche*, por el
cual ganó un Oscar y un Globo de Oro. Ha dirigido numerosas
películas: *Platoon* (1986, Oscar al mejor director), *Salvador*
(1986), *Nacido el 4 de julio* (1989, Oscar a la mejor dirección),
JFK (1991), *Nixon* (1995), *Un domingo cualquiera* (1999),
Looking for Fidel (2004), *Alejandro Magno* (2004), etc. Suele
ser un personaje controvertido porque
en sus obras trata temas sociales y
políticos como la guerra de
Vietnam, la intervención norteamericana en América Central, el
ascenso y ocaso del presidente
Nixon o el asesinato de
Kennedy. Otro aspecto discu-
tido de su cine es la violencia
de algunas películas, como
Asesinos natos (1994), a partir
de una idea del también director Quentin Tarantino.

Stravinski, Igor

I gor Stravinski [1882-1971] fue un **compositor
ruso**. Es una de las principales figuras de la música contemporánea. Desde muy pequeño comenzó a estudiar
música. Recibió lecciones de Rimski-Korsakov. En París escribió ballets para Diaguilev como *El pájaro de fuego* (1910),
Petrushka (1911) y *La consagración de la primavera* (1913).
Otras de sus composiciones son *La historia del soldado* (1918),
Pulcinella (1920),
*Sinfonía de los
salmos* (1930),
Abraham e Isaac
(1963), etc.

*Stravinski compuso
varios ballets,
muchos de ellos
para los Ballets
rusos de Diaghilev.*

submarinismo

El submarinismo es un **deporte acuático** en el que los nadadores bucean bajo el agua durante un tiempo más o menos largo. El equipo básico de los submarinistas consiste en unas **gafas**, que permiten tener una visión clara bajo el agua; un **tubo** para respirar, que es hueco y se coloca en la boca, cuyo extremo libre se mantiene fuera del agua; y unas **aletas** que, calzadas en los pies, permiten impulsarse con más fuerza. Cuando el tiempo de permanencia bajo el agua es largo y se desciende a una profundidad de varios metros, se emplea un equipo especial que consiste en un par de **bombonas de oxígeno** conectadas al tubo de respiración. El submarinismo tiene muchas variantes, ya que esta actividad se realiza bien con fines científicos, como la exploración del fondo marino, bien para desarrollar otras disciplinas como la fotografía o la caza.

Las aletas sirven para impulsarse en el agua.

Para el buceo de superficie basta con un tubo pegado a la boca que permita captar el aire del exterior.

Las gafas protegen los ojos debajo del agua.

El submarinismo a cierta profundidad exige el empleo de bombonas de oxígeno, para poder respirar.

Antes de sumergirse en el mar hay que hacer un aprendizaje en una piscina, donde no hay peligro. Luego se irá descendiendo poco a poco hasta poder bucear en aguas más profundas.

Si bien no es necesario para practicar submarinismo en aguas cálidas y poco profundas, el traje de neopreno es una protección imprescindible para mantener la temperatura corporal en las profundidades marinas.

La fotografía subacuática requiere un equipo especial, con una caja estanca para proteger la cámara y un flash submarino. Hay dos tipos de cajas estancas: las de plástico y las de aluminio, más ligeras.

El buceo no es una actividad moderna: se han encontrado perlas talladas 4 500 años a. C., en las ruinas de Bismaya en Babilonia. También en la antigua Tebas se utilizaban como adorno en gran cantidad, cerca de 3 200 años a. C.

El submarinismo ha permitido conocer mejor la flora y fauna marinas y, de esta forma, intentar protegerlas con más eficacia.

Primeros buzos

En 1819, el ingeniero alemán Augustus Siebe inventó un casco fijado a una chaqueta, alimentado con una bomba de aire desde la superficie. El aire espirado salía por la parte de abajo de la chaqueta, por lo que era fundamental que el buzo estuviese en todo momento en posición vertical. Aunque con poca movilidad, podían descender hasta 100 m de profundidad.

submarino

Un submarino es una embarcación cerrada, de casco cilíndrico, diseñada para navegar bajo el agua. Sobre el casco se eleva una estructura en forma de torre donde se encuentra el **periscopio** (que es un instrumento formado por un tubo y un sistema de espejos que permiten observar la superficie del océano), el rádar y las antenas de radio. Cuando el submarino está en la superficie, esta torre se utiliza como puente de mando. La cámara interior del submarino está diseñada para soportar las grandes presiones del fondo marino. La cámara exterior está formada por los llamados **tanques de lastre**, donde se introduce agua para que el submarino se sumerja hasta la profundidad deseada. Para ascender a la superficie se inyecta aire a presión en esta cámara con el objetivo de expulsar el agua. La mayoría de los submarinos son naves de guerra y están armados con misiles y torpedos (armamento).

El submarino de Isaac Peral

Isaac Peral fue un marino español que proyectó el primer submarino militar, que se botó en 1888. En 1890 se disparó por primera vez en la historia un torpedo en inmersión.

Submarino de Isaac Peral, en Cartagena (España).

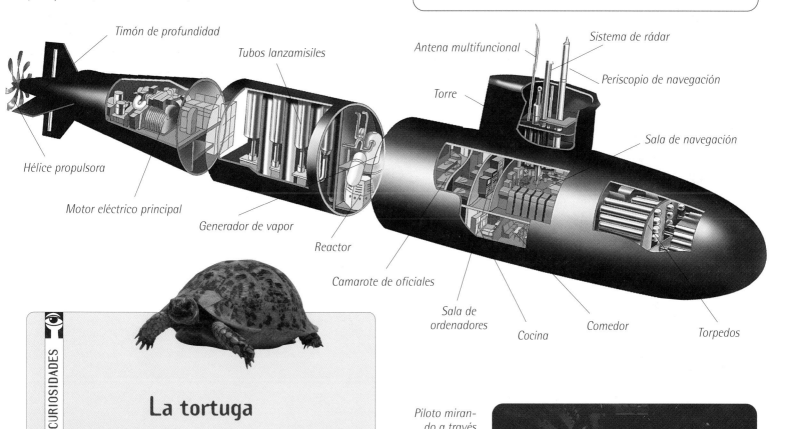

Timón de profundidad

Tubos lanzamisiles

Antena multifuncional

Sistema de rádar

Periscopio de navegación

Torre

Sala de navegación

Hélice propulsora

Motor eléctrico principal

Generador de vapor

Reactor

Camarote de oficiales

Sala de ordenadores

Cocina

Comedor

Torpedos

La tortuga

Uno de los primeros submarinos fue el llamado Turtle (tortuga), inventado en 1770 por David Bushnell. Tenía forma de bola y sólo transportaba a una persona. Estaba equipado con un enorme tornillo para agujerear el casco de los barcos y colocar en ellos cargas de explosivos. Fue utilizado sin éxito en la guerra de Independencia americana.

Piloto mirando a través de una ventana del submarino Atlantis, en el cual se puede visitar el parque submarino de Cozumel, en México.

Sudáfrica

Sudáfrica, o República Sudafricana, es un país que se encuenta en el sur de África. La mayor parte de su territorio es una meseta. Al sur se encuentran los montes Drakensberg y al oeste están los **desiertos de Kalahari y Namibia**. Los ríos principales son el Orange y el Limpopo. El **clima** es seco y con temperaturas suaves, aunque en la costa es más húmedo y desértico en el oeste. Sudáfrica posee importantes reservas de uranio y yacimientos de oro y diamantes. La industria está muy desarrollada: armamento, siderúrgica, automovilística, química, alimentaria y textil. Además, se cultiva algodón, maíz, caña de azúcar y trigo y la ganadería también contribuye a la **economía**. La riqueza del suelo de Sudáfrica hizo que fueran muchos los europeos que llegaron a sus tierras e hicieron de este país el más rico de África. Sin embargo, no toda su población se ha beneficiado por igual de esta riqueza, ya que durante muchos años se mantuvo una política en la que se discriminaba a los habitantes de raza negra negándoseles sus derechos y obligándoles a vivir en penosas condiciones. Esta discriminación se conoce como **apartheid**. La llegada al gobierno del presidente De Klerk supuso el inicio del fin de este racismo. En 1990 se liberó al líder Nelson Mandela, que, en 1994 se convertiría en el primer presidente de raza negra.

Soweto es un barrio de *Johannesburgo* en el que las personas de raza negra estaban recluidas mientras duró el apartheid, un sistema político por el cual las personas de raza negra estaban completamente separadas de las de raza blanca, y apenas tenían derechos. Soweto fue el centro de la lucha contra el apartheid.

*Ayuntamiento de **Ciudad del Cabo**, ciudad fundada en 1652 por los bóers (colonos holandeses) y que aún conserva muchos edificios coloniales (☞ colonialismo). Los descendientes de los holandeses se llaman afrikaners. Más tarde fueron dominados por los británicos, que han dejado también su sello en la ciudad.*

El paisaje del país es muy variado, con sus costas, desiertos y montañas.

El Cabo de Buena Esperanza es uno de los paisajes más impresionantes del Sudáfrica El primer navegante que lo dobló fue el portugués Bartolomeu Dias en 1488.

Johannesburgo es una inmensa ciudad situada cerca de las minas de oro y diamantes de Transvaal, donde se desplazaron los afrikaners cuando fueron vencidos por los británicos. Se trata del centro minero e industrial más poderoso de África y el centro comercial del país.

Los "cinco grandes" del Kruger

El Parque Nacional Kruger se encuentra en la zona de Transvaal, cerca de Johannesburgo. En su vasta extensión de 20 000 km² se encuentra la mayor diversidad de animales salvajes de África, pero los más impresionantes son los *big five* o "cinco grandes" de las sabanas africanas: elefantes, leones, leopardos, búfalos y rinocerontes, pero abundan los impalas, jabalíes, jirafas, ñúes, avestruces, etc.

El elefante, el león, el búfalo, el leopardo y el rinoceronte son los "cinco grandes".

Mujeres zulúes en un poblado en Natal, cerca de Durban. Los zulúes son la etnia más numerosa en Sudáfrica. La riqueza de los zulúes son las vacas. Cuando una mujer se casa, su padre tiene que dar como dote una o más vacas, según sea su riqueza. Aunque está prohibida por la ley la poligamia está muy extendida entre los zulúes y un marido puede tener varias esposas.

Las cataratas del Tugela, en las montañas de Natal, son las más altas de África y se consideran las segundas con más caída del mundo, después del Salto del Ángel en Venezuela.

Rep. de Sudáfrica

DATOS

Habitantes
44 759 000

Superficie
1 221 037 km²

Densidad
37 hab./km²

Capital
Pretoria (administrativa), Ciudad del Cabo (legislativa)

Otras ciudades importantes
Johannesburgo, Pietermaritzburg

Sistema de gobierno
República federal

Idioma
Inglés y afrikaans

Moneda
Rand

Clasificación de diamantes.

CURIOSIDADES

Oro y diamantes

Sudáfrica es uno de los mayores productores mundiales de diamantes, con un 8,7 % del total. En tiempos, la región de Johannesburgo tuvo la mayor riqueza en oro. Actualmente sigue teniendo las mayores concentraciones mundiales de carbón, platino, magnesio y cromo.

Sudán

Sudán es un país de África oriental. El centro del país está ocupado por una extensa llanura regada por el río Nilo. En el norte se encuentra el desierto del Sáhara y en el sur hay una cordillera que alcanza los 3 000 m. El **clima** es desértico al norte y tropical húmedo al sur. Hay cultivos de algodón, maní y sésamo, y también ganadería, pesca y explotaciones de oro y sal. Sudán estuvo dominado por Egipto desde 1821 hasta 1885, cuando los sudaneses se rebelaron. El control pasó después a manos británicas, hasta que en 1956 consiguió la **independencia**.

Camello de una caravana de sal y especias.

Jirafas comiendo hojas de acacia.

Goma arábiga

En Sudán crece un tipo de acacia en cuya corteza se practican cortes, para que salga un líquido gomoso que se emplea para fabricar medicinas, tintes y pinturas. Este líquido se llama goma arábiga y Sudán la exporta al resto del mundo.

La caravana se detiene para descansar.

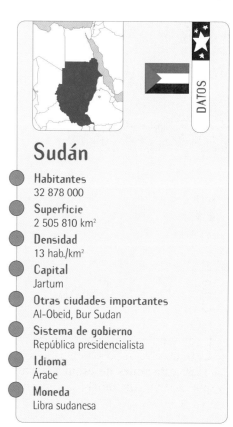

DATOS

Sudán

Habitantes
32 878 000

Superficie
2 505 810 km²

Densidad
13 hab./km²

Capital
Jartum

Otras ciudades importantes
Al-Obeid, Bur Sudan

Sistema de gobierno
República presidencialista

Idioma
Árabe

Moneda
Libra sudanesa

Suecia

Suecia es un país del norte de Europa situado en la **península escandinava**. El norte del país es la región más accidentada y está atravesada por el círculo polar ártico (☞ Polo Norte) y los Montes Escandinavos; el resto del país está ocupado por una extensa llanura con numerosos lagos en el centro y pantanos al sur. De entre los numerosos ríos que recorren Suecia, destacan el Lulea, el Umea y el Dalla. Las **temperaturas** son frías, sobre todo al norte, donde los inviernos son muy largos y secos. La industria en Suecia está bastante desarrollada: textil, automovilística, química, etc. Cuenta además con explotaciones de hierro, uranio, cobre, plata y plomo. La agricultura, con cultivos de cereales, y la ganadería también son importantes. Antes de unirse a Noruega y Dinamarca en 1397 y estar bajo dominio danés, los vikingos suecos se habían dedicado a atacar las costas europeas para establecer asentamientos. En 1523 la insurrección de **Gustavo Vasa** consiguió la **independencia** para Suecia y él fue coronado rey. Se iniciaba entonces un período de prosperidad para el país. Suecia intervino en las guerras contra Napoleón, pero no participó en ninguna de las dos Guerras Mundiales. Ingresó en la Unión Europea en 1995.

Mujer lapona (☞ Laponia) realizando tejidos artesanales.

La monarquía sueca

No existen datos ciertos sobre los reyes de Suecia hasta el siglo X. En la Edad Media la monarquía era electiva y el rey no tenía mucho poder, era más bien un caudillo guerrero. Fue durante el reinado de **Gustavo Vasa** (1521-60) cuando el poder real creció, la monarquía se hizo hereditaria, la administración se centralizó y se llevó a cabo la reforma luterana, que convirtió al rey en jefe de la Iglesia sueca.

Coronas y cetros reales en la armería real.

Palacio Real, en el centro de Estocolmo.

CURIOSIDADES

Esquí

Los esquíes más antiguos del mundo se han encontrado en Suecia y tienen unos 5 000 años. Hay más de 50 estaciones de esquí repartidas por todo el país, que cuenta con muchos campeones y campeonas de este deporte.

El salmón es uno de los ingredientes más típicos de la cocina sueca. Este pez es muy abundante en los ríos suecos, donde incluso se están construyendo pasos para que los salmones puedan vadear o evitar las dificultades que les oponen las represas de los ríos para su migración al lugar de origen.

DATOS

Suecia

- **Habitantes**
  8 867 000
- **Superficie**
  449 960 km²
- **Densidad**
  20 hab./km²
- **Capital**
  Estocolmo
- **Otras ciudades importantes**
  Göteborg, Malmö, Uppsala
- **Sistema de gobierno**
  Monarquía parlamentaria
- **Idioma**
  Sueco
- **Moneda**
  Corona sueca

Uppsala se considera el centro histórico, cultural y religioso del país. En el centro del casco antiguo medieval se encuentra la gran Domkyrkan, la catedral más grande de Escandinavia y en la que está enterrado Gustavo Vasa. La universidad de esta ciudad, fundada en 1477, es la más antigua de los países nórdicos.

Estocolmo es una ciudad de origen medieval que se construyó sobre catorce pequeñas islas entre el lago Malaren y el mar Báltico. El agua forma parte de la arquitectura de la ciudad y le da especial encanto.

El **puerto de Göteborg** es el más activo del país. Gracias a las corrientes cálidas está libre de hielo todo el año. En él se encuentra la base de los transbordadores que comunican con Dinamarca y Gran Bretaña.

Fundada por Birger Jarl en 1252, Estocolmo es la capital de Suecia desde el año 1436. Cuenta con una población de unos 700 000 habitantes. Allí se celebraron en 1912 los quintos Juegos Olímpicos de la era moderna. Otro acontecimiento importante que tiene lugar cada año es la entrega de los Premios Nobel. En 1988 Estocolmo fue nombrada Ciudad Europea de la Cultura.

Iglesia parroquial de Bro en **Gotland**, del siglo XIII. A inicios del siglo XIII los mercaderes alemanes que se habían asentado en la isla de Gotland constituyeron una asociación mercantil con otras ciudades alemanas llamada Liga Hanseática, que dominó el comercio por el mar Báltico durante siglos.

Faro de **Göteborg**. La ciudad fue fundada en el siglo XVII con la ayuda de los holandeses y el centro de la ciudad está surcado de canales. Es conocida como "la ciudad verde" por sus parques.

En el castillo medieval de **Kalmar**, reconstruido en los siglos XVI y XVII, se firmó en 1397 la Unión de Kalmar, que confederó a Suecia, Dinamarca y Noruega.

Molinos de viento en la isla de **Oland**. En la actualidad quedan unos 400 de los 2 000 que llegó a haber. Se llega a la isla a través del puente más largo de Europa, de 6 072 metros de longitud.

Mapa

FINLANDIA
SUECIA
NORUEGA
DINAMARCA

Sarektjåkkå 2090
Círculo Polar Ártico
Río Luleå
Río Torne
Lulea
Golfo de Botnia
Marsfjället 1589
Skellefteå
Río Umeå
Río Angerman
Umeå
Östersund
Ömsköldsvik
Río Ljungan
Sundsvall
Sånfjället 1277
Río Ljusnan
Golfo de Botnia
Söderhamn
Falun
Gävle
Río Dala
Karlstad
Västerås
Eskilstuna
Uppsala
Täby
Lago Malaren
Örebro
Södertälje
Estocolmo
Huddinge
Lago Vänern
Nyköping
Norrköping
MAR BÁLTICO
Trollhättan
Lago Vättern
Linköping
Göteborg
Borås
Jönköping
Kungsbacka
Gotland
Halmstad
Växjö
MAR DEL NORTE
Kalmar
Öland
Helsingborg
Kariskrona
Estrecho de Kalmar
Lund
Kristianstad
Malmö
186 km
MONTES ESCANDINAVOS

sueño

El sueño es un estado de reposo de los organismos animales. Mientras dormimos, la actividad de nuestro cuerpo disminuye (baja la presión sanguínea y los ritmos respiratorio y cardíaco) y también es menor nuestra respuesta ante los estímulos externos. El sueño se divide en cuatro fases según las variaciones que sufren las ondas cerebrales. La primera fase es una etapa de **sueño ligero**. Estas etapas se alternan a lo largo del tiempo, de modo que al final de una fase cuarta de **sueño profundo**, se pasa a otra de sueño ligero, similar a la primera. Aún no se ha podido determinar del todo la función del sueño, aunque se cree que es fundamental para la regeneración orgánica y, sobre todo, de los procesos mentales. La necesidad de sueño varía con los individuos, ya que a algunos les basta con menos de seis horas y otros requieren más. También varía en función de la edad, siendo menos necesario al pasar los años.

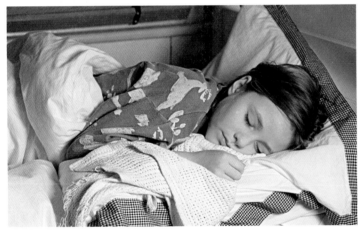

El sueño es fundamental para recuperar las energías gastadas durante el tiempo que pasamos despiertos. La privación del sueño produce irritación y agotamiento. Si se prolonga más de dos días provoca falta de concentración y errores en tareas sencillas. Si continúa por más de tres días aumentan las dificultades para pensar, ver y oír con claridad y además pueden llegar a darse alucinaciones.

El célebre doctor vienés Sigmund Freud fue el primero en investigar el mundo de los sueños y dar interpretaciones o significados a los elementos y acciones que en ellos aparecen. De este modo se inició una terapia que trata de ayudar al paciente a través del análisis de sus sueños, donde pueden aparecer frustraciones, deseos o problemas de los que el paciente no es consciente en la vida real.

Mundos oníricos

El sueño de la razón produce monstruos. *Goya.*

Alicia en el país de las maravillas. *Lewis Carroll.*

Little Nemo. *Windsord McKay.*

La pesadilla. *Fuseli.*

Muchos artistas y escritores se han inspirado en la riqueza y variedad del mundo de los sueños para desarrollar sus obras. A veces nos muestran mundos de fantasía imaginada donde los animales pueden hablar y donde existen criaturas extrañas y fascinantes. En otras ocasiones las peores pesadillas se convierten en protagonistas y los monstruos y situaciones absurdas y angustiosas se apoderan de la obra. Estos mundos, personajes y situaciones imaginarias que parecen salidos de un sueño reciben el calificativo de **oníricos**.

Suez, Canal de

El canal de Suez, con sus 160 km, es el más largo del mundo. Gracias a él, los barcos pueden pasar del mar Mediterráneo hasta el **golfo de Suez** (☞ Egipto) sin tener que hacer la travesía alrededor de África. Su construcción se inició en 1859 siguiendo el diseño del ingeniero francés Fernando de Lesseps. Su uso estuvo en manos de Francia e Inglaterra hasta que, en 1956, fue nacionalizado por el presidente egipcio Nasser. Entre 1967 y 1975, el canal estuvo cerrado por la guerra entre Egipto e Israel. Finalmente, los acuerdos de paz entre ambos países posibilitaron que se reabriera el tráfico por el canal sin restricciones.

Inauguración del canal de Suez en 1869. A esta ceremonia acudieron representantes de numerosas naciones e importantes personalidades de todo el mundo. El compositor italiano Verdi presentó para la ocasión su ópera Aida, con espectacular despliegue de decorados y escenarios. El nuevo canal supuso la reducción del viaje entre Europa y la India en unos 5 000 km. En su construcción participaron más de un millón y medio de obreros egipcios dirigidos por ingenieros franceses.

*El presidente egipcio **Gamal Abdel Nasser** nacionalizó el canal en julio de 1956 (es decir, pasó a ser controlado por Egipto en lugar de por una sociedad extranjera como hasta entonces), tras la salida de los últimos soldados británicos del país. Franceses y británicos, aliados a los israelíes intentaron impedirlo con una acción militar que provocó una grave crisis internacional en la que los tres aliados citados tuvieron que ceder a la presión de soviéticos y estadounidenses y retirarse.*

Suiza

Suiza es un país situado en el centro de Europa. Su relieve es montañoso, pues su territorio está atravesado por los montes Iura y los Alpes, que ocupan más de la mitad del país. Entre ambas zonas se extiende la llanura intermedia, rodeada además por lagos y por los ríos Rhin y Ródano. En general, los veranos suizos son bastante calurosos, pero los inviernos son fríos y secos. Suiza cuenta con una industria muy desarrollada, sobre todo en los sectores mecánico, relojero, textil, electrónico, alimentario, etc. El turismo es una importante fuente de ingresos, así como la actividad financiera y la ganadería. Cuando los romanos conquistaron estas tierras hace más de 2000 años, le pusieron el nombre de **Helvecia**. Formó parte después del Sacro Imperio Romano. La lucha por la separación se inició en 1291 y culminó en 1648. El siglo XVIII supuso un fuerte desarrollo económico. Desde 1815, el país ha mantenido su **neutralidad** frente a los diferentes enfrentamientos bélicos que han tenido lugar en Europa y también su aislamiento al no formar parte de la Unión Europea, aunque en los últimos años del siglo XX comenzaron a surgir opiniones favorables a su integración. En su territorio se hablan cuatro lenguas principales: alemán, francés, italiano y romanche. En la literatura escrita en lengua alemana destacan autores como Max Frisch y F. Dürrenmatt; en francés, J. J. Rousseau y en italiano, Zoppi y Galgari.

Berna es la capital desde 1848, en que el gobierno federal fijó aquí su sede. Tiene una catedral de estilo gótico y un ayuntamiento del s. XV. Su célebre torre del Reloj es original del s. XII pero fue reformada en el s. XVIII.

*En Suiza la **industria relojera** tiene una gran tradición. Los relojes artesanales de cuco y los complejos mecanismos de los relojes de pulsera alcanzan una gran perfección. En muchos edificios públicos pueden contemplarse antiguos relojes medievales cuyo mecanismo continúa funcionando pese al tiempo transcurrido desde su construcción.*

Zurich es una de las principales ciudades del país. Es una de las más pobladas y cuenta con la estación ferroviaria más grande de Suiza. Es un importante núcleo financiero con gran concentración de bancos y sociedades. Está situada a orillas del lago Zurich y es atravesada por el río Limmat. Su origen es romano, ya que fue el puesto fronterizo de Turicum; en esta época Suiza era conocida con el nombre de Helvecia, por ello otro de los nombres con que es conocida es el de *Confederación Helvética (CH)*.

El *chocolate* y el *queso* suizos son dos de sus mejores y más famosos productos. Algunas de las compañías y marcas chocolateras más importantes del mundo son suizas. Con el queso derretido se elabora la exquisita *fondue*, uno de los platos típicos del país.

DATOS

Suiza

- **Habitantes**
  7 171 000
- **Superficie**
  41 288 km²
- **Densidad**
  174 hab./km²
- **Capital**
  Berna
- **Otras ciudades importantes**
  Ginebra, Zürich, Basilea
- **Sistema de gobierno**
  República federal
- **Idioma**
  Alemán, francés, italiano y romanche
- **Moneda**
  Franco suizo

Jardines públicos en *Ginebra*. Suiza se precia de ser uno de los países más civilizados y organizados del mundo. En Ginebra tienen su sede organizaciones internacionales como la Cruz Roja, la Organización Mundial de la Salud (OMS), la Organización Mundial del Comercio (OMC), el Alto Comisariado de las Naciones Unidas para los Refugiados (ACNUR), etc. También en ella se firmó la célebre convención sobre prisioneros de guerra de 1929 y sus posteriores ampliaciones de 1949, aún vigentes (Convención de Ginebra).

El *Jungfrau*, cerca de Interlaken de 4 158 m. Los alrededores presentan un magnífico paisaje que atrae anualmente a cientos de turistas, escaladores y esquiadores. Existen guías profesionales que dirigen a los escaladores que lo deseen hasta la cumbre. En Suiza las montañas son de gran altitud y espectacularidad.

Casas típicas en *Thurgau*. La arquitectura suiza es la arquitectura característica de las zonas de montaña de Europa central. Los tejados a dos aguas tienen una fuerte pendiente para que la nieve resbale por ellos y se acumule lo menos posible. Las contraventanas de madera y los listones al exterior también son típicos de esta arquitectura.

suma

La suma o **adición** es una **operación aritmética** que se utiliza para contar. Las sumas se indican mediante el signo (+), leído (más). Así, 5 + 4 es una suma en la que cuatro elementos se añaden a otros cinco. Podríamos contar uno por uno esos cinco y esos cuatro elementos y obtendríamos un total de nueve, pero, al expresarlo en forma de una suma, aprendida de memoria, se facilita la operación. El orden de los **sumandos** (en este caso, 5 y 4) no altera el resultado de la suma: 5 + 4 = 4 + 5 = 9. Si trasladamos uno de los sumandos al otro lado de la ecuación, la suma se transforma en una resta. Por ejemplo, siguiendo el ejemplo anterior: 5 = 9 - 4.

La informática ha permitido acelerar el proceso de cálculo de las sumas y realizar a la vez múltiples operaciones de gran tamaño. Este avance benefició a disciplinas como la astronomía donde son frecuentes los cálculos de gran complejidad.

Sumas de números enteros

Los números enteros pueden ser positivos o negativos. Los negativos se diferencian porque llevan un signo (-) delante. Mientras en una suma de números positivos o de números negativos las dos cantidades se juntan en una mayor, en la suma de números positivos y negativos la cantidad representada por el número negativo se elimina de la cantidad representada por el número positivo.

$$(+5) + (+8) = +13 \qquad\qquad (-5) + (-8) = -13$$

$$(+5) + (-8) = -3 \qquad\qquad (-5) + (+8) = +3$$

Sumas de fracciones

Para realizar sumas de fracciones es necesario que el denominador sea el mismo. Cuando las fracciones tienen distinto denominador se deben reducir primero a común denominador, que consiste en hallar otras fracciones equivalentes a las dadas, pero cuyo denominador sea común. La mejor manera para hacerlo es utilizando el mínimo común múltiplo (mcm) de los denominadores, es decir, el múltiplo más pequeño común a todos ellos. Para ello tenemos que descomponer primero los números factorialmente. Después tomaremos los factores comunes y no comunes con su mayor exponente (↝ potencia) y los multiplicaremos, así tendremos el mcm.

$$\frac{11}{4} + \frac{7}{3} + \frac{13}{5}$$

$$4 = 2^2$$
$$3 = 3 \qquad 2^2 \times 3 \times 5 = 60 \qquad \text{m c m } (4, 3, 5) = 60$$
$$5 = 5$$

Una vez hallado el mcm lo dividimos entre el denominador de la primera fracción, multiplicamos el resultado por el numerador y repetimos el mismo proceso con las demás fracciones.

$$60 : 4 = 15 \times 11 = 165$$
$$60 : 3 = 20 \times 7 = 140$$
$$60 : 5 = 12 \times 13 = 156$$

Las fracciones resultantes tendrán el mismo denominador. Ahora sólo hay que sumar los numeradores:

$$\frac{11}{4} + \frac{7}{3} + \frac{13}{5} = \frac{165}{60} + \frac{140}{60} + \frac{156}{60} = \frac{461}{60}$$

superconductores

os superconductores son cuerpos que no presentan resistencia al flujo de la corriente eléctrica, es decir, que son excelentes conductores de la electricidad. Otra propiedad de los superconductores es el **diamagnetismo**, por la que estos cuerpos son repelidos por los campos magnéticos (magnetismo). Los superconductores sólo lo son por debajo de una temperatura determinada, por lo que deben ser refrigerados a muchos grados bajo cero. La superconductividad fue descubierta en 1911 por el físico holandés **Heike Kamerlingh Onnes**.

Los superconductores se emplean en la fabricación de electroimanes y en la construcción de aceleradores de partículas; también han permitido la construcción de ordenadores más rápidos.

DATOS

Surinam

- **Habitantes**
432 000
- **Superficie**
163 270 km²
- **Densidad**
3 hab./km²
- **Capital**
Paramaribo
- **Otras ciudades importantes**
Nieuw Nickerie, Nieuw Amsterdam
- **Sistema de gobierno**
República
- **Idioma**
Holandés (oficial), inglés
- **Moneda**
Florín de Surinam

La bauxita es el principal producto mineral del país. Como segundo productor mundial Surinam obtiene el 70 % de sus beneficios de exportación de la venta de bauxita. Además supone el 15 % del PNB (Producto Nacional Bruto). Numerosas explotaciones mineras se dedican a su explotación generando abundante empleo.

Surinam

urinam es un país de América del Sur. Su relieve está formado por una meseta poco elevada accidentada por la sierra Wilhelmina. Los principales ríos que riegan el país son el Coranijin, el Gran Río y el Marowijne. El **clima** es cálido y húmedo. Surinam es el segundo productor de bauxita del mundo. Además se cultiva caña de azúcar, café, banano y arroz. Los conquistadores holandeses llegaron a Surinam en el siglo XVII y convirtieron en esclavos (esclavitud) a los indígenas que vivían aquí. El país se llamaba **Guayana holandesa**. En 1863 se abolió la esclavitud y comenzaron a llegar inmigrantes, sobre todo de India e Indonesia, conformando una mezcla de razas. La independencia se consiguió en 1975.

Fuerte de Zeelandia.

Paramaribo es la capital de Surinam. Está situada al norte del país, en la zona costera. Es el centro político, comercial e industrial de esta república, así como su núcleo cultural más importante.

sustantivo

El sustantivo es una parte de la oración que sirve para designar la realidad, sea **contable** (un amigo) o **incontable** (la amistad). Los sustantivos pueden ser **comunes** y **propios**, estos últimos designan objetos o seres únicos, como los nombres de personas (Álvaro, Eva), llamados antropónimos, o los nombres de lugares (Córdoba, Cartagena), llamados topónimos. El sustantivo está formado por un **lexema** o **raíz** que aporta el significado y unos **morfemas** que expresan el género y el número. Por ejemplo en la palabra *gato*, *gat-* es el lexema y –*o* el morfema de género, en este caso masculino; si en vez de una –*o* añadimos una –*a* al lexema, obtendremos el femenino *gata*. Según el **género** los sustantivos pueden ser masculinos y femeninos, de algunos sólo se sabe su género por el artículo que los acompaña (*el/la testigo*); otros, los epicenos, utilizan la misma forma y artículo para designar a los dos sexos (*la víctima*, ya sea hombre o mujer); los sustantivos ambiguos son aquéllos que admiten los dos géneros (*la/el mar*). Si tenemos en cuenta el **número**, los sustantivos pueden aparecer en singular y plural.

La formación del plural

La formación del plural difiere de unos sustantivos a otros. La norma general es que las palabras acabadas en vocal átona (⌣⌢ acento) añaden una –s (*gato/gatos*) y las que acaban en consonante -es (*calamar/calamares*). Si acaban en vocal tónica el plural varía, algunos siempre añaden una –s (*café/cafés*) y otros admiten alternancia (*jabalí/jabalís/jabalíes*). Los sustantivos acabados en diptongos como *rey*, tienen su propio plural: *reyes*, aunque hay excepciones como *jersey/jerséis*. Los singularia tantum aparecen sólo en singular (*la tez*). A veces el acento del singular se desplaza (*carácter/caracteres*) y otras la distinción sólo se manifiesta a través del artículo (*la/las crisis*).

Swazilandia

Swazilandia es un país del sur de África. Al oeste es montañoso y el resto del país está ocupado por colinas. Sus ríos más importantes son el Komali y el Usutu. El **clima** es templado y lluvioso. Son importantes sus minas de hierro y carbón. Se cultivan cereales, cítricos y patatas. Swazilandia estuvo gobernada por Gran Bretaña desde 1902 hasta 1968, año en que consiguió la **independencia**.

Marcha de celebración del cumpleaños del rey. Swazilandia es un país que mantiene vigentes numerosas tradiciones que se remontan a tiempos muy antiguos. Los swazi *representan cerca del 90 % de la población y durante muchos años estuvieron dominados por una minoría de raza blanca a los que se les había cedido el derecho sobre las riquezas mineras del país.*

La mayor parte de la población habita y vive del campo. La caña de azúcar es el principal cultivo seguido del arroz, cítricos, algodón, maíz y tabaco. Además existe una importante cabaña ganadera.

DATOS

Swazilandia

Habitantes
747 000

Superficie
17 360 km²

Densidad
43 hab./km²

Capital
Mbabane

Otras ciudades importantes
Manzini, Siteki, Pigg's Peak

Sistema de gobierno
Monarquía autoritaria

Idioma
Swazi e inglés

Moneda
Lilangeni

REPÚBLICA SUDAFRICANA

Hhohho
Pigg's Peak
Río Komali
Tamahasha
Mhlume
Mbabane
Lonhlupheko
Mpaka
Sandlane Manzini
Siteki
Río Usutu
Hhelehhele
Mankayane
Big Bend
SWAZILANDIA
Hlatikulu
Mahamba
Nhlangano
Lavumisa
MOZAMBIQUE

0   50 km

tabaco

El tabaco es el nombre bajo el que se agrupan una serie de especies de plantas, procedentes de América tropical, de la misma familia que la patata, de 1,5 a 2 metros de altura, con hojas alternas, alargadas y grandes, que contienen una sustancia llamada **nicotina**. La nicotina es una droga que produce un efecto estimulante, pero genera una dependencia psíquica y física. Las hojas de estas plantas se curan, es decir, se secan, y se preparan para ser utilizadas de distintas formas: fumadas, aspiradas, en infusión, etc. Colón descubrió el uso del tabaco en las Antillas, y se importó a Europa en el siglo XVI, desde donde se difundió a todo el mundo. Los principales países productores de tabaco son Cuba, China, EE UU, India, Brasil, Turquía (de donde son originarios los cigarrillos) e Italia. Los cigarros puros están fabricados exclusivamente con estas hojas, pero a los **cigarrillos** se les añaden otras sustancias tóxicas como el **alquitrán**, que hacen que su consumo sea muy perjudicial para la salud.

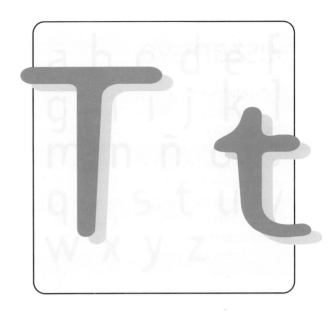

*Las **plantaciones de tabaco** se extienden por los países o zonas de clima cálido y húmedo. Desde la recogida de las hojas a la elaboración final de los puros hay un largo proceso artesanal. La fabricación de cigarrillos, en cambio, está totalmente mecanizada. Países de gran tradición tabaquera son Cuba, Brasil, México, EE UU, India, China, Turquía, etc.*

El tabaco se presenta en muchas formas y variedades: cigarrillos empaquetados, cigarros puros, tabaco para mascar, tabaco para fumar en pipa, tabaco para liar en cigarrillos, etc.

Aunque el hábito de fumar está muy extendido en la sociedad contemporánea, las autoridades sanitarias de la mayoría de los países mantienen una campaña para advertir sobre los graves riesgos que conlleva para la salud. Asimismo se ha prohibido fumar en lugares públicos como hospitales, colegios, autobuses, etc., para evitar molestar a otras personas, que se pueden convertir en fumadores pasivos, al aspirar el humo del tabaco. A partir de enero de 2006 el consumo de tabaco en lugares públicos es penalizado con multas.

Se cree que la adicción o dependencia al tabaco se adquiere a los pocos días o semanas de comenzar a fumar. Una adicción muy difícil de abandonar y para la que a menudo se necesita asistencia médica.

CURIOSIDADES

La polémica está servida

Personas afectadas por enfermedades pulmonares o cáncer derivados del consumo del tabaco han llevado a los tribunales a las grandes multinacionales tabaqueras. Algunas de estas tabaqueras han sido condenadas a pagar grandes sumas de dinero a los afectados. Por otra parte es un hecho demostrado que estas empresas añaden productos adictivos a los cigarrillos para que de esta manera sea más difícil dejar de fumar.

Tailandia

ailandia es un país del sureste de Asia situado en la **península de Indochina**. Su relieve es muy variado: montañas al norte y oeste, continuación de la cordillera del Himalaya, la meseta del Korat al este y llanuras en el centro y sur, donde se encuentra el valle del río Menam, que con el **Mekong**, es el más importantes del país. El clima es cálido y húmedo, y recibe la influencia de los monzones. La principal actividad de Tailandia es la agricultura, centrada sobre todo en el cultivo de arroz, aunque también se produce caña de azúcar, frutales, hortalizas y té. Hay yacimientos de piedras preciosas y estaño, industria textil y papelera, y turismo. La región que ocupa Tailandia siempre fue centro de prósperos reinos, que supieron escapar al dominio de los países europeos. Hasta mediados del siglo XX, el nombre del país era **Siam**.

Una Cethosia biblis, *muestra de la exótica fauna y flora tailandesas. Entre las especies animales destacan los elefantes, tigres, panteras, jaguares, aves, gibones, murciélagos, serpientes, etc.*

*Niños de **Chiang Mai**. El 75 % del total de la población pertenece a la etnia thai, un 14 % son chinos y un 11 % representan a otras etnias. Los thai emigraron del sur de China en los siglos III al XI e hicieron frente a birmanos, malayos y camboyanos hasta establecer su propio reino en el s. XVIII.*

*Como en otras grandes ciudades asiáticas la capital **Bangkok** combina los edificios de corte tradicional oriental con modernas construcciones de estilo occidental. Aquí se sitúan importantes centros financieros relacionados con los gigantes económicos de la zona: Japón, Corea del Sur, Malaisia, etc.*

Ana y el rey de Siam

l cine y la televisión han popularizado la historia de la institutriz occidental que acude a enseñar a los hijos del rey de Siam, antiguo nombre de Tailandia, y tiene que hacer frente a los convencionalismos y tradiciones de la corte siamesa que le impiden llevar a cabo su cometido. La historia está basada en hechos reales sucedidos en el s. XIX y en las memorias escritas por esta institutriz en la vida real.

Un país muy religioso

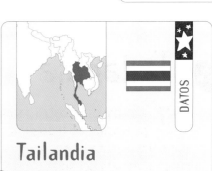

Tailandia es una nación budista (☞ budismo) en la que existen miles y miles de templos y monjes pertenecientes a esta religión. Tan sólo la capital Bangkok cuenta con más de 400 templos.

Tailandia

Habitantes
62 193 000

Superficie
514 000 km²

Densidad
121 hab./km²

Capital
Bangkok

Otras ciudades importantes
Nonthaburi, Nakhon Si Thammarat

Sistema de gobierno
Monarquía constitucional

Idioma
Thai e inglés

Moneda
Baht

Ayutthaya.

Wat Po, Bangkok.

Monjes budistas y talla dorada de divinidades de esta religión.

Pequeño altar para orar.

Mercado de verduras. Muchos productos del campo se venden en la ciudad y son el medio de subsistencia de cientos de familias rurales tailandesas.

*La **agricultura** juega un importante papel en la economía tailandesa. Un 54 % de la población activa está ocupada en este sector. Entre los principales productos agrícolas están el arroz, mandioca, maíz, caucho, caña de azúcar, coco y soja.*

CURIOSIDADES

Boxeo tailandés

El Muay Thai o boxeo tailandés es originario de este país. Consiste en un deporte de combate en el que se permite golpear con puños enguantados, pies descalzos, codos y rodillas. Se trata de un deporte muy violento popularizado en revistas y cine especializado en artes marciales.

Taiwán

Taiwán es un país del este de Asia. Además de la isla de Taiwán, incluye las islas Pescadores. Su relieve es muy montañoso ya que está atravesado por la cordillera Chungyang. Al este el litoral es llano y al oeste hay escarpados acantilados. Los principales ríos son el Shoshui y el Shsia. El **clima** es cálido y los monzones provocan abundantes lluvias. Además de la agricultura, basada en el cultivo de arroz y caña de azúcar, en Taiwán hay industria: química, textil, electrónica, etc. Además los bosques proporcionan madera, bambú y sándalo. En 1683, Taiwán fue conquistada por los chinos. Este dominio duró hasta 1895, año en que pasó a manos japonesas. En 1945 volvió a pertenecer a China. Cuando en 1949 en China triunfó el comunismo, los políticos derrotados huyeron a Taiwán, donde establecieron una república que representó a China en las Naciones Unidas hasta ser expulsada de este organismo en 1975. China lleva años reclamando su antigua posesión.

Taipei es una moderna ciudad con un fuerte crecimiento económico. Está muy bien comunicada con los principales países de la zona y su estabilidad política y tradición empresarial la convierten en uno de los principales núcleos financieros de la zona. Taiwán es uno de los llamados *Tigres asiáticos* (🔗 Singapur).

Jóvenes de la **etnia Ami**, una de las principales del país. Viven en la zona montañosa y conservan una importante tradición oral en forma de cánticos que se han hecho muy célebres a través de grabaciones modernas. Las otras ocho etnias principales de Taiwán son los atayal, paiwan, bunun, tsou, puyuma, rukai, saisiyat y yami. Todas ellas habitaban originariamente la isla y sufrieron la ocupación de japoneses y chinos a lo largo de su historia.

Templo budista (🔗 budismo) de Lungshan en Taipei. En Taiwán se da una mezcla religiosa entre budistas, confucionistas y taoistas, agrupando entre todos al 93 % de los practicantes. Un 4,5 % son cristianos y un 2,5 % practican otras religiones. Curiosamente casi la mitad de la población cristiana corresponde a los aborígenes de las montañas que practican una mezcla de cristianismo con prácticas animistas tradicionales.

Taiwán conserva muchas tradiciones chinas que llegaron a la isla con los nacionalistas emigrados en 1949. Algunas de ellas están prohibidas en la República Popular China por el gobierno comunista; entre ellas las relacionadas con cultos y creencias religiosas.

Taiwán

Habitantes
22 548 000

Superficie
35 980 km²

Densidad
627 hab./km²

Capital
Taipei

Otras ciudades importantes
Kaohsiung, Tainan, T'aichunghsien

Sistema de gobierno
República presidencialista

Idioma
Chino mandarín

Moneda
Nuevo dólar de Taiwán

Los arrozales son el principal cultivo taiwanés aunque ocupan un territorio muy reducido y en fuerte competencia con otras actividades como la pesca.

El país tiene una de las mayores densidades de población del mundo. Ello es debido a su reducida extensión y al elevado número de habitantes en constante crecimiento. La población se concentra en las zonas costeras llanas por ser demasiado abrupto el interior. Las grandes ciudades están situadas en la costa oeste de la isla.

Tensiones con China

La República Popular China lleva décadas reivindicando la isla como parte de su territorio nacional. Aunque las relaciones han mejorado en los últimos tiempos, la República Popular ha continuado presionando al régimen de Taipei mediante agresivas maniobras navales y amenazas de invasión. La política actual de la República Popular en cuanto a Taiwán se basa en el principio de "un país dos sistemas", en el que se asume la coexistencia de capitalismo y comunismo bajo un mismo gobierno, el de Pekín, que reuniría a los dos países. Este tipo de sistema se ensaya en la actualidad con la reincorporación de las antiguas colonias de Hong Kong y Macao a la República Popular manteniendo su economía capitalista de mercado. Sin embargo Taiwán se resiste a perder su independencia política y nacional.

Talmud

El Talmud es un libro que recopila y añade comentarios a la Torá. Está formado por un código de leyes comentado por algunos rabinos (☞ judaísmo). Existen dos compilaciones: el **Talmud palestinense** y el **Talmud babilónico**; ambos fueron impresos en Venecia en el siglo XVI.

En el Talmud se recogen 248 mandamientos positivos, que invitan a hacer algo, equivalen en número a las partes del cuerpo humano; y 365 negativos que prohíben hacer algo o hacerlo de determinada forma, equivalen en número a los días del año. Estos mandamientos afectan a distintos estratos de la sociedad desde el rey hasta el pueblo llano.

Mezuza o pasajes de la Torá que se colocan a la entrada de las casas y que se saludan respetuosamente al entrar en el hogar. Los comentarios del Talmud surgen de la importancia que la religión judía da a las sagradas escrituras, a su estudio y a su interpretación.

Dos talmudes

Una de las dos partes del Talmud, la Guemará, redactada en arameo, fue escrita por las escuelas de interpretación bíblica en Palestina y en Babilonia. El Talmud babilónico es el más completo de los dos y el más difundido y conocido.

Támesis

El río Támesis es el más largo de Inglaterra. Nace en los montes Cotswold y, tras atravesar Londres, desemboca en el mar del Norte. Su longitud es de 340 km. El principal problema del Támesis es conseguir la limpieza de sus aguas, ya que durante mucho tiempo éstas han sido contaminadas con vertidos y con aguas residuales, lo que provocó que, en determinadas épocas, la vida en el Támesis fuera imposible debido a la falta de oxígeno. Desde 1963 se han tomado medidas que aseguren la depuración de las aguas vertidas al río.

El Támesis es uno de los símbolos de Londres, como su famosa Torre. Parte de su recorrido, próximo a la desembocadura, es navegable.

El techo de África

En Tanzania se encuentra el punto más elevado de África, el **Kilimanjaro** (5895 m), con su cumbre siempre cubierta de nieve. Pero Tanzania cuenta con otras riquezas naturales como el cráter Ngorongoro, hogar de elefantes, hienas, rinocerontes, etc., o las llanuras de **Serengueti**, donde viven manadas de cebras, ñus y leones.

Tanzania

Tanzania es un país del este de África. Comprende, además de la parte continental, las islas de Zanzíbar y Pemba. Su relieve es variado e incluye sistemas montañosos como el **Kilimanjaro** al norte, lagos como el **Tanganica** al oeste y el **Victoria** al noroeste. Los principales ríos son el Rungwa y el Rufiji. El **clima** es tropical, con temperaturas altas y abundantes precipitaciones. Son importantes los cultivos de algodón, caña de azúcar, maíz y café. El turismo, la pesca y la industria azucarera, del tabaco y textil completan el panorama económico de Tanzania. Lo que es hoy el país de Tanzania es el resultado de la fusión de **Tanganica** y **Zanzíbar** en 1964, tras liberarse la primera del dominio alemán en 1961 y del británico la segunda en 1963.

Masais del Ngorongoro. Los Masai se establecen en poblados, pero los hombres dedican gran parte de su vida a desplazarse por los pastos con el ganado. Sobreviven gracias al pastoreo pero siempre se han considerado un pueblo guerrero. Sus expediciones para robar ganado a tribus vecinas les hicieron que fuesen muy temidos en la zona.

DATOS

Tanzania

- **Habitantes**
  36 276 000
- **Superficie**
  945 090 km²
- **Densidad**
  38 hab./km²
- **Capital**
  Dodoma
- **Otras ciudades importantes**
  Zanzíbar, Tanga, Mwanza
- **Sistema de gobierno**
  República federal presidencialista
- **Idioma**
  Swahili, inglés
- **Moneda**
  Chelín tanzano

En las llanuras del Serengueti hay unas 200 000 cebras. Este parque nacional se extiende a lo largo de unos 15 000 km² y es el último recuerdo del ecosistema del Cuaternario (era) en el que vivían los grandes mamíferos.

Lodge en la isla de Zanzíbar, que tiene fama de ser una de las más bonitas del mundo. Además de sus exóticos paisajes, en ella y en la vecina isla de Pemba han dejado su huella diferentes pueblos. Desde allí iniciaron sus viajes Livingstone y otros famosos exploradores.

Vendedor de plátanos en bicicleta. A pesar de sus abundantes recursos naturales Tanzania es uno de los países más pobres del mundo. Un 80 % de sus exportaciones son el algodón, el café, una especia llamada clavo y la madera. También exportan cera de abejas y tienen importantes yacimientos mineros.

tarántula

Las tarántulas son arañas de gran tamaño (hasta 3 cm de longitud), que habitan en el sur de Europa. Es característico su cuerpo voluminoso y cubierto de vello, negro en el dorso y rojizo en el abdomen. Las tarántulas son arañas corredoras y no fabrican telas de araña. Viven entre las piedras o en agujeros que excavan en la tierra. Las tarántulas, al morder, inyectan un veneno que produce una inflamación dolorosa.

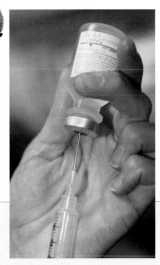

Todas las arañas cambian de piel (mudan) para poder crecer, ya que la piel sirve de esqueleto externo y es rígida. La diferencia es que las tarántulas hembras adultas siguen mudando y mudando toda su vida, al contrario de otras arañas, y continúan creciendo.

La mordedura de la araña no es peligrosa, pero tienen unos pelos "urticantes" en la parte de atrás del abdomen, que usan para defenderse y que causan irritación en la piel.

CURIOSIDADES

Prevención

El veneno de la tarántula podría ser la fuente de nuevos fármacos capaces de salvar millones de vidas humanas. Un equipo de científicos ha descubierto que una proteína contenida en esa secreción venenosa muestra una excelente capacidad para prevenir enfermedades cardíacas.

Tayikistán

Tayiskistán es un país de Asia central. Su relieve es montañoso, pues cuenta con elevaciones como la cordillera de Pamir y la de Tien Shan. Sus ríos principales son el Sir Daria y el Piandhz. Se cultivan algodón, cereales y frutales; la ganadería es otro importante recurso económico. La industria es escasa y se centra en los sectores textil y siderúrgico. Tras formar parte de la Unión Soviética, en la década de 1980 comenzaron los movimientos encaminados a conseguir una **independencia** que llegaría en 1991. En ese año pasó a formar parte de la CEI.

La mayoría de la población son tayikos, con un importante minoría de uzbekos y un pequeño tanto por ciento de rusos, kirguices, ucranianos y alemanes. La religión mayoritaria es la musulmana (⌐ Islam).

DATOS

Tayikistán

Habitantes
6 195 000

Superficie
143 100 km²

Densidad
43 hab./km²

Capital
Dushambé

Otras ciudades importantes
Kuljab, Kurgan Tjube

Sistema de gobierno
República presidencialista

Idioma
Tayiko

Moneda
Rublo tayiko

Ruinas de Bunjikath, una importante ciudad fundada por los persas aqueménidas en el siglo V a. C., cercana a Penjikent. Fue tomada por Alejandro Magno en el siglo III a. C y pasó de imperio en imperio hasta que fue abandonada en el año 751.

Edificio de Penjikent. Las pinturas murales son tradicionales en Tayikistán. Algunas son tan modernas como las de la fotografía, pero hay murales de los siglos VII y VIII.

El cultivo del algodón es uno de los principales recursos económicos del país.

té

El té es una planta con forma de árbol, de hojas aromáticas, originaria del sur de China y del noreste de la India. Las hojas del árbol del té, desecadas y ligeramente tostadas, se emplean para hacer la **infusión** del mismo nombre, con propiedades estimulantes –debido a la cafeína que contiene– y diuréticas (que aumentan la secreción de orina), entre otras. Hay dos tipos principales de té: el té chino y el té de Assam. Esta planta requiere un clima muy húmedo y se cultiva, además de en Asia, en África y América. Los mayores productores de té son la India, China y Sri Lanka, seguidos por Kenia, Indonesia y Turquía. El principal importador del mundo es el Reino Unido, donde esta infusión es muy popular.

teatro

La palabra teatro hace referencia a tres realidades: por una parte, teatro es una **composición literaria** en forma de diálogo entre los diversos personajes y que puede ser representada en un escenario. En Europa, el teatro nació en la Grecia antigua y algunos de sus autores más importantes son Esquilo, Sófocles y Eurípides. William Shakespeare está considerado como uno de los mejores autores de teatro de todos los tiempos. Teatro es también la **representación**, la puesta en escena de esas obras literarias. En Grecia aparecían uno o varios actores con máscaras. En la Edad Media, las representaciones eran de tipo religioso, pero a partir del siglo XVII aparecieron otras temáticas y las representaciones se fueron haciendo más complejas. Además, teatro es el **lugar** donde se hacen estas representaciones. Los primeros teatros aparecieron en Grecia hacia el s. IV a. C. Se trataba de zonas de tierra aplanada al pie de una colina y rodeadas de filas de piedra que resultaban de cortar la colina y que era donde se sentaba el público. Los romanos copiaron el modelo de teatro griego, pero los hacían en lugares llanos. En los siglos XVII y XVIII surgieron en Italia las primeras construcciones teatrales modernas. Al principio las **compañías de teatro**, que viajaban de un lugar a otro, utilizaban sus carretas como escenario, pero después se empezaron a construir teatros estables.

Teatro griego

El teatro griego se representaba al aire libre y utilizaba como asientos gradas excavadas en la roca. En él tiene gran importancia el coro, que utilizaba máscaras y que narraba parte del argumento.

Teatro del Siglo de Oro

*En los **corrales de comedias** representaron sus obras Lope de Vega, Calderón, **Tirso de Molina** o Cervantes. Son unos teatros que aprovechaban un patio central entre casas de vecindad: en el patio se colocaba el pueblo, las gradas eran la parte delantera del patio y se podía estar sentado, en los aposentos se acomodaban las autoridades y personajes, en la cazuela las mujeres y en la tertulia clérigos y religiosos. En esta época eran muy populares las comedias, los entremeses y los autos sacramentales.*

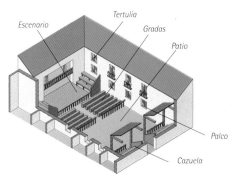

Escenario · Tertulia · Gradas · Patio · Palco · Cazuela

Las primeras salas de teatro

Los primeros teatros cerrados comenzaron a construirse en el siglo XVIII y tenían en cuenta la acústica o sonoridad de los espacios, para que se pudiera oir a la orquesta o a los actores desde cualquier lugar. También los decorados y la iluminación adquirieron más importancia.

*Los **actores** y **actrices** utilizan su voz y sus gestos para transmitir los sentimientos de su personaje. A diferencia del cine y la televisión, se representa en directo y por orden. Otelo es el protagonista de una obra de Shakespeare.*

tecnología

La tecnología es el conjunto de conocimientos relativos a las **invenciones** y a los **descubrimientos** del ser humano que permiten la realización de ciertos trabajos. Desde el principio de la Historia, el ser humano ha inventado diversas herramientas, instrumentos, máquinas y técnicas con el objetivo de satisfacer su necesidades de alimento, ropa y alojamiento, así como las de ocio y comodidad. El término tecnología se utiliza, hoy en día, para referirse a la llamada **tecnología industrial**, que comenzó hace 200 años, con la invención de la máquina de vapor y otras máquinas complejas, el crecimiento de las fábricas y la producción en masa (☞ Revolución industrial). La tecnología permite, pues, que aumente la producción de bienes, reduce el trabajo y lo hace más fácil pero, también tiene efectos perjudiciales como la contaminación del aire y del agua o su aplicación para la producción de armas muy destructivas (☞ armamento).

La humanidad y la tecnología

La evolución del ser humano está ligada a los avances tecnológicos de tal modo que los hombres primitivos se distinguen por el tipo de instrumentos que utilizan. La talla de las piedras que permitió fabricar armas más eficaces, el descubrimiento del fuego, la invención de la rueda... y más recientemente la electricidad, el teléfono, la informática, los aviones, etc. marcan etapas en la historia del ser humano.

La tecnología en nuestro mundo

La producción de alimentos (☞ agricultura) en grandes cantidades y su distribución a grandes distancias han hecho que se empleen máquinas muy sofisticadas para tareas que antes se realizaban de forma tradicional, como sembrar, recoger, alimentar a los animales, ordeñar, etc.

El mundo de las comunicaciones y de las telecomunicaciones ha sido uno de los que más han cambiado en los últimos años con avances como las conexiones telefónicas, televisivas o de radio a través de satélites artificiales. Los ordenadores y las redes informáticas, como internet, ponen en contacto de forma inmediata a personas de cualquier parte del mundo.

Las grandes industrias dependen de la tecnología. Cada una de esas fábricas y negocios desarrolla su propia maquinaria y sistemas de explotación.

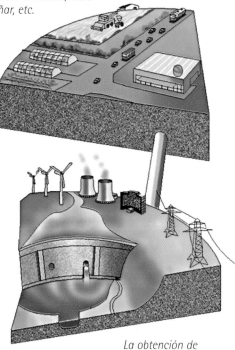

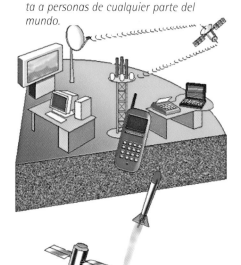

La obtención de energía y su utilización en la vida cotidiana ha precisado también de avances tecnológicos. Por ejemplo, el uso generalizado de la electricidad ha hecho que se creen centrales hidroeléctricas, térmicas o incluso solares. Asimismo se ha desarrollado el tendido eléctrico, para que la energía llegue a los hogares y los puestos de trabajo.

La tecnología se emplea con **usos militares** para crear nuevas armas. Muchos aparatos inventados para el ejército han pasado a tener un uso común, como el radar o los satélites artificiales.

El transporte ha evolucionado gracias a nuevos y potentes motores, aviones, barcos y trenes, así como a las obras de ingeniería e infraestructura como túneles, carreteras, puentes, puertos, aeropuertos, etc.

Tecumseh

Tecumseh (1768-1813) es un **caudillo indígena**, jefe del pueblo shawnee. Trató de unir a todos los grupos indígenas noroccidentales para combatir la penetración estadounidense en el oeste, en un levantamiento general (1810) que fracasó. Durante la guerra de EE UU con Gran Bretaña (1812-1814) se alió con los británicos y murió en la batalla de Thames (1813).

Tegucigalpa

Tegucigalpa es la **capital de Honduras** y está a orillas del río Choluteca. Está situada en el centro de una comarca agraria muy rica, que encuentra salida comercial a sus productos en la capital. Además en Tegucigalpa hay industria textil, alimentaria y tabacalera. Son edificios interesantes el Museo Nacional, la Asamblea Nacional y la catedral.

La catedral de Tegucigalpa, situada en la plaza central, está dedicada al patrono de la ciudad, el Arcángel Miguel.

Por amor, Tegucigalpa

Según cuenta la historia, la primera dama de Honduras, durante la época del presidente Marco Aurelio Soto (1849), era originaria de Tegucigalpa y no gozaba del aprecio de la alta sociedad de Comayagua, capital por aquel entonces del país. Ante este supuesto odio, el presidente Soto tomó la decisión de trasladar la sede de la capital a Tegucigalpa.

Teide

Montaña de naturaleza volcánica situada en la isla de Tenerife, una de las islas Canarias. Sus 3 718 m de altitud lo convierten en la mayor altura de España. La zona en la que está situado está catalogada como Parque Nacional con el nombre de **Las Cañadas del Teide**.

El Teide está formado por la superposición de varios volcanes correspondientes a otras tantas erupciones: el Pico Viejo, Montaña Blanca, Pico Cabras y las Narices del Teide. Rematando la estructura: Pan de Azúcar o Pilón. Existen curiosas formaciones rocosas como el "El dedo de Dios", situado en los acantilados de Tamadaba, que fue bautizado así por el escritor canario Domingo Doreste por su parecido con un enorme dedo apuntando hacia el cielo.

La actividad volcánica de esta zona se halla bastante reducida, desde principios de siglo, a fumarolas (emisión de gases y vapores que proceden del interior de la tierra) y elevadas temperaturas a pocos centímetros de la superficie.

Los guanches

Los aborígenes tinerfeños o guanches utilizaban Las Cañadas del Teide para la trashumancia (llevar el ganado desde los pastos de invierno a los de verano). La base de su subsistencia eran las actividades ganaderas. Cada uno de los diferentes reinos en que estaba dividida la isla tenía un territorio propio, salvo la cumbre de Las Cañadas que era considerada la zona común del pastoreo, llevando allí los rebaños en verano.

tejido

Los tejidos son **telas** producidas a partir de **fibras textiles**, que son materiales, generalmente de origen vegetal, que se pueden hilar, es decir, a los que se les puede dar forma de fibra o filamento y, por tanto, pueden emplearse para hacer telas trenzándolas entre sí. Las principales **fibras textiles naturales** son el lino, la lana, el algodón y la seda. A partir del siglo XVIII (especialmente a partir de la revolución industrial) se han venido desarrollando una serie de procesos para producir **fibras sintéticas** o artificiales, entre las que destacan el rayón, el nailon, el poliéster o el polivinilo. La mayoría de las fibras sintéticas se producen a partir del petróleo o de la celulosa, y son más duraderas y más fáciles de lavar y de planchar. Los tejidos ya se realizaban en el neolítico y su elaboración fue uno de los primeros procesos artesanales realizados por el ser humano. Actualmente el mundo de la moda está revolucionando los tejidos, con sus innovadoras ideas.

Fuentes de los tejidos

Naturales

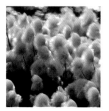

Algodón   *Lana*   *Capullos de seda*

Existen diferentes tipos de materias fibrosas naturales que pueden ser de origen vegetal (algodón, lino, esparto, etc.) y de origen animal (seda, lana, etc.).

Artificiales

También existen los tejidos de fibras de origen artificial y sintético procedentes de los polímeros (⌇ plástico) que se obtienen del petróleo. Los polímeros se mezclan con el hilo en forma de fibras. Estos tejidos son ideales para la fabricación de paracaídas, mochilas, velas, etc.

*Un **telar** es un aparato utilizado para tejer. En los telares se colocan dos conjuntos de hilos: unos que van verticales a lo largo del telar, llamados urdimbre, y otros que van horizontales, perpendiculares a los anteriores, llamados trama. La trama se va tejiendo entre la urdimbre al hacerse pasar de un lado a otro mediante una lanzadera. El uso del antiguo telar manual, hoy ya casi destinado a trabajos puramente artesanos, queda desplazado por el telar mecánico con la revolución industrial, que supuso el empleo de nuevas máquinas capaces de desarrollar el trabajo de varias personas simultáneamente.*

tejón

El tejón es un mamífero **plantígrado**, lo que quiere decir que apoyan al caminar las plantas de los pies, alargados y de fuertes uñas. Estos animales tienen un pelaje característico. Es de color gris en el dorso y negro en el vientre, con bandas blancas y negras en la cabeza, a modo de **antifaz**. Hay dos especies principales: el tejón europeo y el tejón americano. El **tejón europeo** mide casi 1 m de longitud y vive en los bosques, en galerías subterráneas. Se alimenta de plantas, raíces, bulbos, y también de lombrices, insectos y caracoles. El **tejón americano** se distribuye por Norteamérica, Canadá y México. Es de menor tamaño que el anterior y más ancho. Su principal alimento son una especie de ratas, llamadas tuzas, muy perjudiciales para la agricultura.

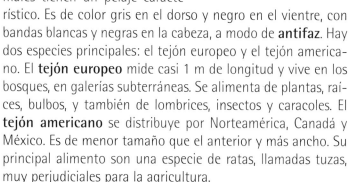

*El tejón excava en la tierra su **madriguera** que se compone de una cámara, varias galerías y agujeros de ventilación. Se pueden reconocer por los grandes montículos de tierra excavada en los alrededores de las entradas. Vive en pequeños grupos familiares y es de hábitos nocturnos.*

telecomunicaciones

L a telecomunicación consiste en la transmisión de información (tanto palabras, como sonidos o imágenes) en forma de señales eléctricas o electromagnéticas (⤳ electromagnetismo). Los medios de telecomunicación incluyen el teléfono, la televisión, la radio y los satélites. También se incluyen los ordenadores, capaces de transmitir información en forma de código binario (⤳ binario), que se puede transmitir a todos los ordenadores conectados a la red informática (⤳ Internet).

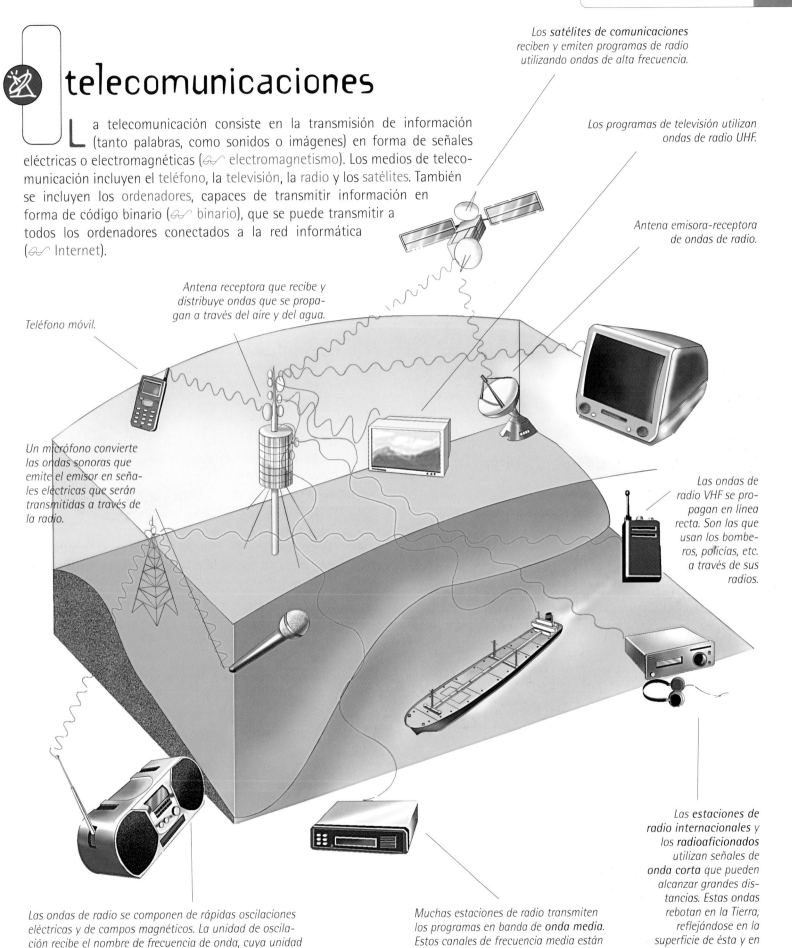

*Los **satélites de comunicaciones** reciben y emiten programas de radio utilizando ondas de alta frecuencia.*

Los programas de televisión utilizan ondas de radio UHF.

Antena emisora-receptora de ondas de radio.

Antena receptora que recibe y distribuye ondas que se propagan a través del aire y del agua.

Teléfono móvil.

Un micrófono convierte las ondas sonoras que emite el emisor en señales eléctricas que serán transmitidas a través de la radio.

Las ondas de radio VHF se propagan en línea recta. Son las que usan los bomberos, policías, etc. a través de sus radios.

*Las **estaciones de radio internacionales** y los **radioaficionados** utilizan señales de **onda corta** que pueden alcanzar grandes distancias. Estas ondas rebotan en la Tierra, reflejándose en la superficie de ésta y en la ionosfera (⤳ atmósfera).*

Las ondas de radio se componen de rápidas oscilaciones eléctricas y de campos magnéticos. La unidad de oscilación recibe el nombre de frecuencia de onda, cuya unidad es el herzio (Hz). Un herzio equivale a una oscilación por segundo; un kiloherzio (kHz) equivale a 1 000 herzios.

*Muchas estaciones de radio transmiten los programas en banda de **onda media**. Estos canales de frecuencia media están limitados en un radio de unos pocos cientos de km.*

teleférico

Los teleféricos son un medio de transporte que consiste en una **cabina** que asciende y desciende, suspendida de uno o varios cables. Se utilizan para el transporte de personas y materiales entre zonas separadas por una gran diferencia de altura, entre las que no es posible el transporte por ferrocarril o carretera. Los **cables** que tiran de la cabi-

na se mueven gracias a la acción de motores, que suelen ser eléctricos. También son teleféricos los llamados **telesillas** y **telesquís**, en los que los esquiadores ascienden a las pistas de esquí.

Muchos teleféricos se sitúan en lugares desde los que se se pueden contemplar unas vistas extraordinarias.

teléfono

El teléfono es un **medio de comunicación** que transmite sonidos entre lugares distantes mediante electricidad. El aparato de teléfono contiene un diafragma (una especie de membrana), que vibra al chocar contra él las ondas de sonido. Estas vibraciones se transforman en impulsos eléctricos, que se transmiten, generalmente a través de cables, hasta el receptor, donde por acción de un par de electroimanes se vuelven a transformar en sonidos. Alexander Graham Bell es considerado el inventor del teléfono.

Teléfono antiguo.

Los teléfonos han evolucionado mucho, con pantallas y una gran cantidad de teclas para nuevas funciones.

Telefonía fija

Cuando hacemos una llamada telefónica la señal viaja hasta un centro de conexión, que la envía por cable, si la llamada es local, al teléfono receptor. Si la llamada es a larga distancia, el centro de conexión la envía a otro centro de conexión, por cable o vía satélite. Si la llamada es a un teléfono móvil, el centro de conexión la envía a la antena más cercana al móvil y ésta la transmite a su vez, en forma de señales de radio, al teléfono.

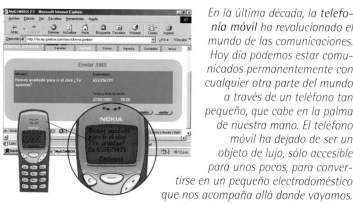

En la última década, la telefonía móvil ha revolucionado el mundo de las comunicaciones. Hoy día podemos estar comunicados permanentemente con cualquier otra parte del mundo a través de un teléfono tan pequeño, que cabe en la palma de nuestra mano. El teléfono móvil ha dejado de ser un objeto de lujo, sólo accesible para unos pocos, para convertirse en un pequeño electrodoméstico que nos acompaña allá donde vayamos. Actualmente ya es posible acceder a Internet desde este tipo de teléfonos, aunque la velocidad de acceso es pequeña.

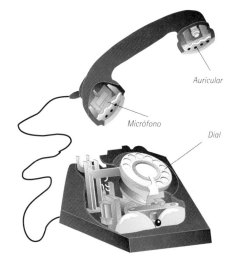

Auricular

Micrófono

Dial

Para hacer una llamada telefónica levantamos el auricular y marcamos un número de teléfono. Cuando el teléfono suena, la persona a la que llamamos lo contesta. Si esa persona está hablando por teléfono en ese momento, el teléfono emitirá unos sonidos cortos que indicarán que está ocupado.

telégrafo

E l telégrafo es un sistema de comunicación constituido por un equipo eléctrico que emite y recibe señales eléctricas en forma de impulsos. Estos impulsos pertenecen a un código establecido, que permite traducirlos a letras y palabras. El primer telégrafo fue inventado en 1836 por **Samuel Morse**. El código mediante el que se transmiten los mensajes se denomina código Morse. Este telégrafo está basado en el paso de corriente eléctrica (⌐ electricidad) a través de un cable sobre el que actúa un interruptor que, accionado con los dedos, permite el paso de la corriente. Como resultado de estos dos tipos de impulsos, se dibujan en un papel dos tipos de signos: puntos y rayas, que, según su orden, se traducen en distintas letras de nuestro alfabeto.

Instalación telegráfica

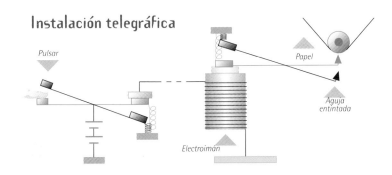

Pulsar

Papel

Aguja entintada

Electroimán

¿Sabías que...

E l telégrafo resultó ser el mejor aliado de los hombres de negocio? Les permitió organizar mejor sus actividades comerciales, enterarse de las últimas noticias, conocer las últimas cotizaciones de la Bolsa, los últimos acontecimientos del país, y poder entablar comunicación entre las fábricas y empresas y así estar al tanto de las oficinas alejadas de su territorio.

telescopio

E l telescopio es un **instrumento óptico** (⌐ óptica) que permite observar objetos muy alejados. Por ello, se emplea en astronomía para estudiar los cuerpos celestes. Los telescopios están formados por el objetivo y el ocular. El **objetivo** recoge los rayos de luz procedentes de un objeto distante y los desvía hacia el **ocular** por medio de un espejo plano, permitiendo que el ojo vea próxima la imagen de ese objeto. Hay dos tipos principales de telescopios: los **reflectores**, si el objetivo está compuesto por espejos, y los **refractores**, si están formados por lentes. Se cree que el primer telescopio, tal y como lo conocemos ahora, fue inventado por Newton en 1668.

Gracias al telescopio se han podido descubrir estrellas y planetas lejanos de la Tierra.

Telescopio astronómico

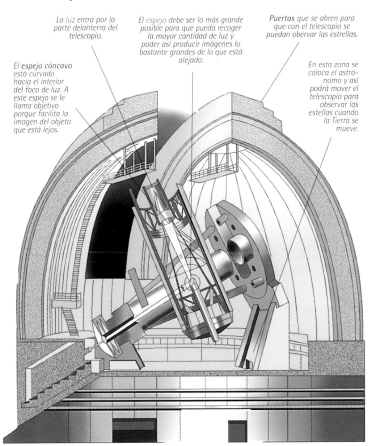

La luz entra por la parte delanterra del telescopio.

El espejo debe ser lo más grande posible para que pueda recoger la mayor cantidad de luz y poder así producir imágenes lo bastante grandes de lo que está alejado.

Puertas que se abren para que con el telescopio se puedan obervar las estrellas.

El espejo cóncavo está curvado hacia el interior del foco de luz. A este espejo se le llama objetivo porque facilita la imagen del objeto que está lejos.

En esta zona se coloca el astrónomo y así podrá mover el telescopio para observar las estrellas cuando la Tierra se mueve.

televisión

La televisión es un **medio de comunicación** que permite la transmisión de imágenes y sonidos de manera instantánea, por medio de ondas electromagnéticas, similares a las de radio. Los receptores o aparatos de televisión, donde se forman las imágenes, constan de varias partes, una de las cuales es el **tubo de imagen**, que convierte los impulsos eléctricos de la señal de televisión, recogida por la antena, en grupos de electrones (⟿ átomo) que producen luz sobre la **pantalla**, originando imágenes. La pantalla está recubierta en su parte interior por una serie de productos químicos fosforescentes, que producen luz al ser bombardeados por los electrones.

Logie Baird en la primera retransmisión televisiva que tuvo lugar en 1924.

Historia de la televisión

1923 Vladimir Kosma Zworykin inventa el iconoscopio, primer sistema efectivo de captación de imágenes.

1927 Primeras emisiones públicas de televisión, llevadas a cabo por la BBC en Inglaterra.

1930 Primeras emisiones públicas de televisión en EE UU, llevadas a cabo por la CBS y la NBC.

1936 Emisiones con programación regular en Inglaterra.

1946 Se pone en funcionamiento la emisora de TV Canal 5, en México.

1956 Televisión Española (TVE) comienza a emitir con regularidad.

1970 Aparición de la televisión en color.

1973 Se funda Televisa, la empresa privada más importante de Sudamérica.

*Todo un gran equipo de profesionales (cámaras, maquilladores, presentadores, etc.), que trabajan en los **estudios de televisión**, hacen posible que llegue a todos los hogares.*

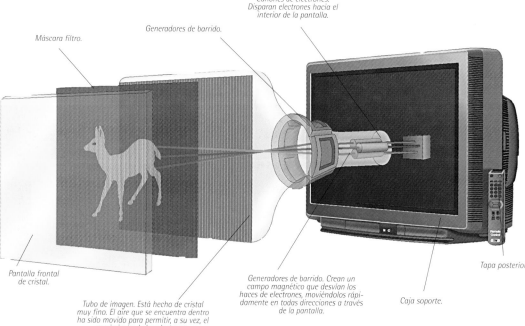

Máscara filtro.

Generadores de barrido.

Cañones de electrones. Disparan electrones hacia el interior de la pantalla.

Pantalla frontal de cristal.

Tubo de imagen. Está hecho de cristal muy fino. El aire que se encuentra dentro ha sido movido para permitir, a su vez, el movimiento de los electrones.

Generadores de barrido. Crean un campo magnético que desvían los haces de electrones, moviéndolos rápidamente en todas direcciones a través de la pantalla.

Caja soporte.

Tapa posterior.

La televisión ha llegado hasta el Metro para poder así ofrecer información mientras el viajero espera o viaja.

temperatura

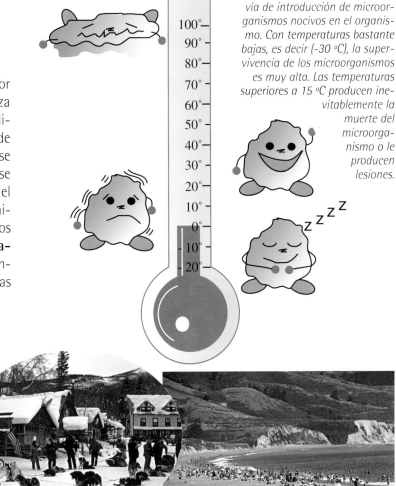

La temperatura es el grado de mayor o menor calor en los cuerpos. Su medida se realiza mediante unos instrumentos llamados termómetros. La medición de la temperatura se realiza en función de una serie de escalas. La más popular es la **escala centígrada**. En ella se toma como temperatura 0 °C la temperatura a la que se funde el hielo y como 100 °C la temperatura a la que hierve el agua. Cada una de las 100 divisiones del 0 al 100 se denomina **grado centígrado** (°C), aunque existen también grados centígrados por debajo de 0 y por encima de 100. En la **escala Fahrenheit**, la temperatura de fusión del hielo corresponde a 32 °F y la de ebullición del agua a 212 °F. Cada una de las 180 divisiones se denomina **grado Fahrenheit** (°F).

Los alimentos pueden ser una vía de introducción de microorganismos nocivos en el organismo. Con temperaturas bastante bajas, es decir (-30 ºC), la supervivencia de los microorganismos es muy alta. Las temperaturas superiores a 15 ºC producen inevitablemente la muerte del microorganismo o le producen lesiones.

TEMPERATURA ACONSEJABLE

°C						
22°	Baños				Piscinas cubiertas	
21°						
20°	Habitaciones de hospital		Salas de estar			Grandes almacenes
19°		Tocadores, aseos, duchas		Habitaciones colegios niños	Oficinas, despachos colectivos	
18°						
17°	Comercios y talleres en actividad			Comedores, despachos		
16°						
15°		Halls, salas de espera, vestíbulos, gimnasios	Alcobas			Museos, iglesias
14°			Escaleras			
13°						
12°						

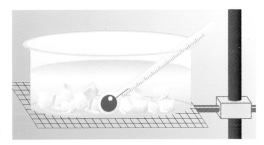

En las zonas polares las temperaturas son muy bajas en invierno (-70 ºC) e incluso en verano, donde se llegan a tener temperaturas bajo cero. Sin embargo, en las zonas cálidas de la Tierra ocurre lo contrario: en verano se alcanzan temperaturas muy altas (45 ºC), mientras que en el invierno no bajan de los 25 ºC.

Grados Celsius, o centígrados (°C)

-40 -35 -30 -25 -20 -15 -10 -5 0 5 10 15 20 25 30 35 40 45 50 55 60 65 70 75 80 85 90 95 100

-40 -31 -22 -13 -4 5 14 23 32 41 50 59 68 77 86 95 104 113 122 131 140 149 158 167 176 185 194 203 212

Grados Fahrenheit (°F)

¿Sabías que

Hay cinco escalas diferentes de temperatura en uso en estos días? La Celsius, conocida también como escala centígrada, la Fahrenheit, la Kelvin, la Rankine, y la escala internacional de temperatura termodinámica. La escala centígrada o Celsius se usa ampliamente en todo el mundo; y la escala Fahrenheit es usada en países de habla inglesa. Las otras dos se usan menos o están en desuso.

Al aumentar la temperatura de un cuerpo se produce en él un aumento de longitud (dilatación), por lo que pueden medirse indirectamente variaciones de temperatura en función de longitud. Este es el fundamento de los llamados termómetros de dilatación. La unidad casi siempre utilizada para medir las temperaturas es el grado Celsius o centígrado.

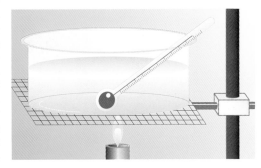

templo

Templo de la Madeleine, en París.

Un templo es un edificio religioso. La palabra templo sirve para designar iglesias, catedrales, sinagogas y mezquitas. Todas las culturas han tenido y tienen sus templos y ven en ellos un modo de acercarse a los dioses. En el Egipto antiguo, los templos eran construcciones de gran tamaño adornadas con columnas. En Mesopotamia y Babilonia, los templos tenían forma de pirámide invertida y se llamaban **zigurat**. Los **templos griegos** estaban construidos en mármol y seguían los tres estilos, también llamados órdenes: dórico, jónico y corintio. El más famoso de ellos es el Partenón. Los **templos romanos** adoptaron una líneas parecidas. En América, antes de la llegada de los exploradores europeos, se construyeron templos como las pirámides aztecas del Sol y de la Luna de Teotihuacán en México. Los mayas también construyeron templos en forma de pirámides: Tikal en Guatemala o Palenque en Chiapas.

La pirámide del Sol de Teotihuacán, en México, se construyó entre los años 50 y 200 de nuestra era. Está construida con adobes recubiertos de piedra y alcanza una altura de 61 metros. Una escalera ceremonial conduce hasta su cima, donde se alzaba un templo.

Templo de Oro en, Amristar, India. Los grandes templos hindúes y sijs en un principio se construían al aire libre, con una gran planta de cubierta abovedada y en cuyo interior se encontraba la imagen del dios venerado. Posteriormente, estos templos se convirtieron en grandes conjuntos cerrados por murallas y con puertas monumentales; en el centro de la muralla se encontraba el santuario de pequeñas dimensiones que albergaba la figura del dios.

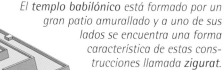

El templo babilónico está formado por un gran patio amurallado y a uno de sus lados se encuentra una forma característica de estas construcciones llamada zigurat. El zigurat es una torre cuadrada de varios pisos, generalmente entre 4 y 7, y es posible su acceso mediante una rampa que rodea los cuatro lados de la torre o por dos escaleras situadas a cada lado de la torre y con un acceso que da al frente de la edificación. Para la construcción de estos templos se utilizaron como materiales el mármol, alabastro, lapislázuli, oro y cedro.

Los templos egipcios tenían una gran sala llamada la sala hipóstila, que en griego significa "muchas columnas", que además eran de gran tamaño y grosor. Las paredes laterales, así como los fustes de las columnas, están llenos de jeroglíficos de temas religiosos. Los capiteles tienen una gran variedad temática: lotiformes, en forma de flor de loto; papiriformes, en forma de planta de papiro; palmiformes, en forma de hojas de palmera; y hathoricas, que son las que tienen la efigie de la diosa Hathor.

Ruinas de un templo maya.

El Templo de Jerusalén

Fue construido por el rey Salomón en el 966 a. C. y destruido y reconstrido sucesivamente en épocas posteriores hasta que en el siglo VI, los musulmanes construyeron ahí la Cúpula de la Roca que es la que se conserva hasta nuestros días.

tenis

*Las **raquetas** modernas están hechas de fibra de vidrio o grafito y de cabeza más amplia que la clásica.*

*La **pelota** suele ser amarilla o naranja. Pesa entre 56,7 y 58,5 g y tiene un diámetro de 6,66 cm. Estos valores se consideran tan importantes que las pelotas se guardan en neveras para conservar su uniformidad.*

Desde sus orígenes el tenis no ha dejado de ganar adeptos. Se empezó llamando "tenis sobre césped" porque las primeras canchas eran de hierba. Actualmente, pueden ser también de madera, tierra batida, cemento e incluso asfalto.

El tenis es un **deporte** que se practica sobre un terreno dividido en dos zonas, separadas por una **red**, por encima de la cual debe pasar una pelota que los jugadores lanzan mediante **raquetas**. En cada zona se sitúa un jugador, en los encuentros individuales, o dos, en los dobles. El terreno de juego mide 23,77 m de longitud por 8,23 m de anchura en los encuentros individuales y 10,97 m de anchura en los dobles. La red, colocada en el centro del campo, mide 0,91 m de altura. El juego consiste en lanzar la pelota al campo contrario por encima de la red, golpeándola con la raqueta, intentando que el adversario no llegue a devolverla o lo haga defectuosamente. Cada partido se divide en **sets**, y se puede jugar a tres o cinco sets. Para ganar un set, un jugador debe ganar cuatro o más juegos de un total de seis. Cuando un ganador gana el primer punto de un juego consigue 15 puntos; con el segundo, 30; 40, con el tercero y un juego con el cuarto. Este deporte procede del juego francés llamado *jeu de paume*. Sus normas se elaboraron a partir de 1877, cuando se celebraron los primeros torneos, en Wimbledon. Los principales torneos internacionales son: Roland Garros, en Francia; Wimbledon, en Reino Unido; la copa Davis, que es el campeonato por equipos nacionales masculinos; y la copa Federación, que es el campeonato por equipos nacionales femeninos.

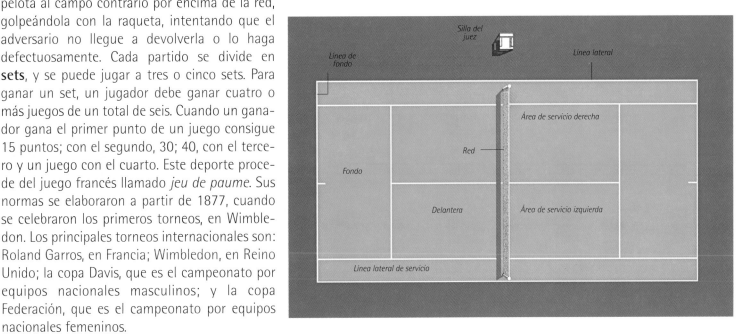

Silla del juez

Línea de fondo

Línea lateral

Área de servicio derecha

Red

Fondo

Delantera

Área de servicio izquierda

Línea lateral de servicio

Los grandes torneos

El Gran Slam es el conjunto de los 4 torneos anuales de mayor prestigio. El más antiguo es el de Wimbledon (1877); los otros son el Open USA o Abierto de Estados Unidos (1881), el Roland Garros de Francia (1891) y el Open de Australia (1905). Los cuatro acogen todas las categorías: individuales, dobles masculina y femenina y dobles mixta.

La Copa Davis se disputa anualmente entre equipos nacionales masculinos.

La Copa Federación es el torneo anual reservado a equipos nacionales femeninos.

El Máster masculino y femenino. A lo largo de toda la temporada determinados torneos dan puntos clasificatorios; al final del año, los 16 jugadores que más puntos tengan compiten en este torneo.

Tennessee

ennessee es un **estado de EE UU**, al centro-este del país. La capital es Nashville. Limita con los estados de Virginia y Kentucky al norte; Georgia, Alabama y Mississippi al sur; Carolina del Norte al este y al oeste con el río Mississippi. Comprende tres regiones: al este un sector de los Apalaches (Great Smoky Mountains), separado de la meseta de Cumberland por el Gran Valle de los Apalaches; en el centro, la cuenca de Nashville, y al oeste la llanura aluvial del Mississippi. Sus ciudades más importantes son: Nashville, Memphis, Chattanooga y Knoxville. Su agricultura se centra en los cultivos de tabaco, algodón, maíz y soja; y su industria se basa en la explotación de minas de cinc, fosfatos, cobre y carbón, así como también a las producciones agrícolas y a las obras de regulación del río Tennessee (metalúrgica, construcciones mecánicas, electrónica, textil, alimentaria). Este estado fue explorado por Hernando de Soto (1541) y posteriormente por Marquette y Jolliet (1673). La Salle fundó Fort Prud'homme (1682), el primer establecimiento colonial en el territorio en el que se establecieron comerciantes franceses y colonos británicos. Pasó a depender de Reino Unido (1763) y después se convirtió en estado de la Unión en 1796.

La flor de la pasión fue elegida la flor simbólica del estado de Tennessee en 1919.

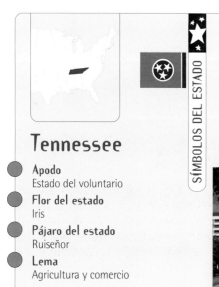

Tennessee

Apodo
Estado del voluntario

Flor del estado
Iris

Pájaro del estado
Ruiseñor

Lema
Agricultura y comercio

SÍMBOLOS DEL ESTADO

La distribución de la población en el estado de Tennessee es bastante equilibrada, sin ciudades demasiado grandes ni amplias zonas despobladas. La mayor ciudad del estado es Memphis, centro fabril y comercial a orillas del Mississippi.

Tercer Mundo

ercer Mundo es el nombre que se da a los países que viven en un estado de **subdesarrollo**. Cuando se inventó el término de Tercer Mundo, se pretendía distinguirlo de los dos bloques que lideraban el mundo, encabezados uno por EE UU y el otro por la URSS. Estos países se encuentran en Latinoamérica, África y Asia y las personas que viven en ellos tienen escasez de alimentos, malas condiciones de sanidad e higiene, mucho paro y además dependen de los países con un nivel de vida desarrollado.

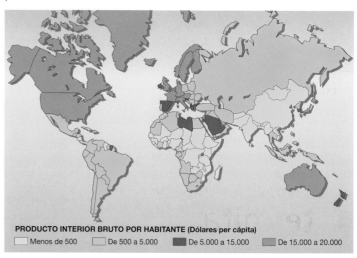

PRODUCTO INTERIOR BRUTO POR HABITANTE (Dólares per cápita)
Menos de 500 | De 500 a 5.000 | De 5.000 a 15.000 | De 15.000 a 20.000

A lo largo de la historia siempre ha existido algún estado reconocido por el resto como la potencia superior, en torno al cual se han organizado las demás naciones. Se puede hablar de un Norte rico y de un Sur pobre. Este último es conocido como Tercer Mundo y nació durante el proceso de descolonización, que provocó la desaparición de los imperios coloniales, basados en la explotación económica, que habían adquirido algunas naciones europeas durante el siglo XIX. Una vez explotados, las naciones colonialistas los abandonaron a su suerte.

Teresa de Jesús, Santa

anta Teresa de Jesús (1515-1582) fue una **prosista y poetisa española**. En 1534 se hizo monja carmelita y comenzó sus famosas reformas y las nuevas fundaciones de la orden . Conocida como la Madre Teresa de Jesús dio muestras de su eminente activismo a la vez que entrega total al éxtasis contemplativo. En su creación literaria, supo conjugar realidad y espíritu, vida interior y exterior, lo divino y lo humano.

Entre sus obras más importantes figuran: *Libro de la vida (1562), Camino de perfección* (1564), *El castillo interior o Las Moradas (1577)* y *Las Fundaciones (1581)*. Fue el más claro ejemplo de los místicos del siglo XVI.

Las Moradas

Sólo quiero que estéis advertidas que para aprovechar mucho en este camino y subir a las Moradas que deseamos no está la cosa en pensar mucho, sino en amar mucho, y así, lo que más os desperta- re amar, eso haced. Quizá no sabe- mos qué es amar, y no me espanta- ré mucho, porque no está en el mayor gusto, sino en la mayor determina- ción de contentar en todo a Dios y procurar en cuanto pudiéramos no ofenderlo.

termita

Las termitas son un grupo de especies de insectos sociales, semejantes a las hormigas. La mayoría de las especies habitan en países tropicales, aunque también se encuentran en toda América y en Europa. Las termitas viven en **colonias** que pueden llegar al millón de individuos. Hay tres tipos básicos de termitas: las traba- jadoras, los solda- dos y las reproduc- toras, cada una de ellas especializada en realizar una función determi- nada. Sólo las **ter- mitas reproduc- toras** tienen los órganos sexuales desarrollados, sien-

Comunidad de termitas donde las relaciones entre los individuos que la forman es funda- mental para la búsqueda de alimento.

do, por tanto, las únicas capaces de reproducirse. Las **termitas trabajadoras** se ocupan de la construcción del nido, de la recogida de alimento y, también del cuidado de las ninfas, que son los individuos inmaduros. Los **soldados** se ocupan de la defensa de la colonia. En algunas especies los soldados tienen fuertes mandíbulas; en otras, producen un veneno pegajoso. Las termitas se alimentan principalmente de madera.

Soldado de una comunidad de termitas: la misión de los soldados consiste en la defensa de la pobla- ción, y para ello están provistos de unas poten- tes y enormes mandíbulas.

Los nidos de las termitas se denominan termiteros y tienen forma de montículo, pudiendo alcanzar varios metros de altura. Están formados por partículas de tierra unidas con saliva. El interior de los termite- ros está recorrido por numerosas galerías comunicadas entre sí.

termómetro

Los termómetros son instrumentos que se utilizan para medir la temperatura. Hay varios tipos de ter- mómetros, entre los que destacan los de líquido, los de gas y los de resistencia. Los **termómetros de líquido** consisten en un pequeño tubo estrecho que contiene un líquido (mercurio o alcohol) que varía de volumen según la temperatura, señalán- dola en una escala graduada. Los **termómetros de gas**, que usan hidrógeno, helio o nitrógeno, son más sensibles y precisos. Los **termómetros de resistencia** se basan en la variación que sufre la resistencia al paso de la electricidad de un metal

puro, como el pla- tino, con la tem- peratura.

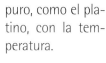

Termómetro para medir la temperatura ambiente.

Termómetro metereológico con flotador para medir la temperatu- ra en la superficie del agua, a nivel del suelo.

La fiebre

CURIOSIDADES

Los seres humanos, como todos los mamíferos, somos homeotermos, es decir, que conservamos siempre una temperatura constante que suele estar entre los 36,5 y 37 º C, en una persona adulta. Cuando esta- mos enfermos, nuestro organismo reacciona y aumenta la temperatura corporal, es lo que cono- cemos como fiebre.

termostato

Un termostato es un aparato que regula de manera automática la temperatura, manteniéndola dentro de un nivel determinado. Los termostatos se emplean en **sistemas de calefacción** y de **refrigeración**, y en algunas fábricas que utilizan hornos industriales. La mayoría de los termostatos se basan en la dilatación o contracción de algunas sustancias, producidas a consecuencia de un cambio en la temperatura, lo que produce un movimiento mecánico que activa o desactiva el sistema de producción de calor o de frío.

Muchos de nuestros electrodomésticos, como una plancha o el frigorífico, tienen termostato. Este permite, por ejemplo, que la plancha mantega una temperatura dentro de unos límites normales para que no caliente en exceso y así se consiga una temperatura constante y apropiada para cada tipo de tejido.

*Los **coches** también llevan un termostato en el sistema de refrigeración que evita que se calienten excesivamente en verano y que en invierno el líquido se congele.*

La mayoría de las casas tienen un termostato en su sistema de calefacción que regula la temperatura del interior. Los últimos modelos son programables encendiéndose y apagándose a ciertas horas, y a la temperatura querida en función de los gustos del consumidor.

terremoto

Los terremotos o **sismos** son **movimientos de la corteza terrestre** (☞ La Tierra). La zona de la corteza donde tiene lugar un terremoto se denomina **hipocentro** y está localizada entre los 10 y los 100 km de profundidad; el punto de la superficie donde se manifiesta el movimiento recibe el nombre de **epicentro**. Una de las causas que provocan los terremotos es la presión que ejercen entre sí dos placas de la

corteza terrestre que se empujan una contra otra (☞ litosfera). Cuando la presión es demasiado fuerte, las rocas se tensan y rebotan provocando movimientos en la superficie. Este tipo de terremotos se suelen localizar en lugares concretos: el llamado "Círculo de Fuego del Pacífico", que es una estrecha franja que coincide con las costas del Pacífico, y una zona que va desde el mar Mediterráneo y el Caspio a través del Himalaya hasta el golfo de Bengala. Otra de las causas que produce un terremoto es la actividad volcánica (☞ volcán). Cada año se producen más de un millón de terremotos, pero la mayoría de ellos no son perceptibles. En el mar también se producen estos movimientos: se llaman maremotos y pueden originar olas de gran tamaño, que se conocen como tsunamis, y cuyos efectos, cuando llegan a las costas, son devastadores. Para medir la intensidad de los terremotos, los **sismólogos** se sirven de los **sismógrafos** y suelen utilizar la llamada **escala Richter**, con valores entre el 1 y el 9.

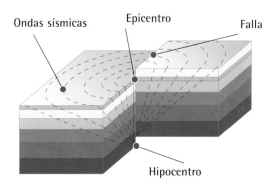

Ondas sísmicas · Epicentro · Falla · Hipocentro

Cuando se mueven los bloques de una falla, se produce una intensa vibración que al propagarse por la Tierra da lugar a los movimientos sísmicos.

Distribución mundial
de los terremotos

Terremotos más intensos y devastadores

Volcanes activos

Los terremotos son, con diferencia, las catástrofes naturales que más víctimas mortales causan en el mundo. Desde 1976 han causado la muerte a más de 350 000 personas. Desde comienzos del presente siglo los seísmos han causado una media anual aproximada de 20 000 víctimas mortales. Un tercio de la población de nuestro planeta vive en zonas consideradas "de riesgo".

Grandes terremotos desde 1900

1906	San Francisco (EE UU)
1906	Valparaíso (Chile)
1908	Messina (Italia)
1920	Kansu (China)
1923	Tokio (Japón)
1931	Managua (Nicaragua)
1939	Chillán (Chile)
1960	Agadir (Marruecos)
1970	Perú
1976	Guatemala
1976	Tangshan (China)
1985	México
1999	Turquía
2001	El Salvador
2001	Gujarat (India)

terrorismo

Terrorismo es el uso de la **violencia** para conseguir unos determinados objetivos políticos. Con los actos terroristas: atentados, secuestros, extorsiones, etc., se pretende crear pánico y ese pánico se convierte en una forma de presión. El terrorismo ha existido siempre y en todos los lugares, aunque en los siglos XIX y XX parece haber recibido un mayor impulso. En Oriente Próximo, tanto judíos como árabes han utilizado campañas terroristas. El IRA es un grupo terrorista irlandés que pretende conseguir la unidad e independencia de toda Irlanda y para ello ha realizado brutales atentados. En España, la banda armada ETA ha llevado a cabo muchos actos terroristas para luchar por la independencia del País Vasco. En Hispanoamérica, se crearon los movimientos de guerrilla urbana. Uno de los más sangrientos fue Sendero Luminoso en Perú. También existe el **terrorismo de estado**, que consiste en el uso de prácticas como encarcelamientos, torturas, asesinatos, etc., por parte del estado, con la excusa de preservar la seguridad nacional. Ha sido muy común en las dictaduras contemporáneas. El siglo XXI se inició con una cadena de atentados terroristas, los más graves de la historia: en EE UU el 11 de septiembre de 2001 (varios aviones de pasajeros fueron secuestrados y estrellados contra las torres gemelas de Nueva York y el Pentágono junto con un coche bomba frente al Departamento de Estado, otra explosión cerca del Capitolio y otro avión de pasajeros más caído cerca de Pittsburgh). El pánico cundió en todo el país y se registraron multitud de víctimas. Le siguieron los perpetrados en Madrid el 11 de marzo de 2004 (los terroristas hicieron estallar tres trenes llenos de viajeros); y el 7 de julio en Londres (de nuevo en medios de transporte como el metro y autobús).

Asesinato de Francisco Fernando en Sarajevo en 1914. El atentado terrorista que constituyó el punto de arranque de la declaración de la I Guerra Mundial.

Las manos blancas son un símbolo contra la acción terrorista de grupos como ETA, acompañadas con el grito unánime de: ¡Basta Ya!

Texas

Texas es un **estado de EE UU** que está situado en la parte sur-central del país. Su capital es **Austin** y su ciudad más grande es **Houston**. Otras ciudades importantes de este estado son **Dallas** y **San Antonio**. Las Grandes Llanuras, constituidas en esta zona por mesetas escalonadas (Llano Estacado, meseta de Edwards, meseta Comanche) recorren el estado. Los ríos principales son río Rojo, Trinidad, Brazos, Colorado, Río Grande. La agricultura y la ganadería bovina son la base de la economía de Texas. Hacia 1830 miles de estadounidenses se habían asentado en Texas que entonces formaba parte de México. pero cansados del régimen opresivo en 1835 se rebelaron y derrotaron al ejército mexicano fundando así la república independiente de Texas. En 1845 Texas entró a formar parte de la Unión, suspendiendo así relaciones diplomáticas con México.

La mariposa monarca fue elegida el insecto simbólico del estado de Texas en 1995.

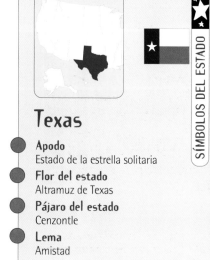

Texas

SÍMBOLOS DEL ESTADO

- **Apodo**
  Estado de la estrella solitaria
- **Flor del estado**
  Altramuz de Texas
- **Pájaro del estado**
  Cenzontle
- **Lema**
  Amistad

Enormes rascacielos ocupan la ciudad de Dallas

Thatcher, Margaret

Margaret Thatcher [n. 1925] es una **política británica**. Fue la primera mujer que ocupó el puesto de Primer Ministro en Gran Bretaña. Estudió Ciencias químicas y Derecho. Ingresó en el Partido Conservador y fue ministra de Educación y Asuntos Científicos entre 1970 y 1974. En 1979 fue elegida Primera Ministra. Fue reelegida en 1983 y 1987. Llevó a cabo una política muy conservadora. En 1990 presentó su dimisión y fue sustituida por J. Major.

Durante su mandato se la conocía como la "mujer de hierro".

tiburones y rayas

Los tiburones y las rayas son un conjunto de especies de peces que poseen un **esqueleto cartilaginoso**, es decir, que está formado por cartílago en vez de hueso. Los **tiburones** son un grupo de peces de gran tamaño, de cuerpo alargado y color grisáceo en el dorso y blanco en el vientre. Estos animales se caracterizan por tener la boca armada con dientes afilados, que los hace muy temibles. Los tiburones son depredadores, es decir se alimentan de otros animales a los que dan caza, excepto los de gran tamaño, como el **tiburón ballena**, que se alimentan de seres vivos microscópicos. Hay varias especies de tiburones, entre las que destacan, por ejemplo, el **tiburón azul**, que llega a medir 4 m de longitud, es muy voraz, y vive en los mares de aguas cálidas y templadas de todo el mundo. El tiburón más peligroso es el **tiburón blanco**, que mide hasta 12 m de longitud, y tiene enormes dientes triangulares de borde aserrado. Este tiburón vive, generalmente, en mares de aguas cálidas. Las **rayas** son peces de cuerpo aplanado que viven en el fondo de los mares cálidos y templados. Algunas especies de rayas, como la **raya mayor**, que habita en las costas de California, llegan a alcanzar los 2 m de longitud. Dentro de la familia de las rayas también se incluyen las **mantas**. Estos peces viven en las aguas templadas y tropicales, no lejos de las costas. Las mantas se alimentan de plantas y pequeños crustáceos.

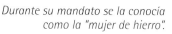

Los tiburones tienen el sentido del olfato muy desarrollado; el sentido del gusto se encuentra en la faringe donde tiene las papilas; y el sentido acústico en los laterales de su cuerpo donde también están los centros nerviosos. El momento de mayor actividad de estos animales es durante al alba y el ocaso.

tiempo

El tiempo es una **magnitud física**, como la longitud y el peso, que se utiliza para medir la duración de las acciones y de las cosas. La medida del tiempo se realiza según varios métodos que tienen en cuenta el movimiento de los astros. El **tiempo solar** es aquel que se divide en días de 24 horas y años de 365 días. Un día es el tiempo que tarda el Sol en pasar por el mismo meridiano. Tanto este método como los otros métodos astronómicos son bastante imprecisos. Una medida más precisa del tiempo es la que realizan los relojes atómicos, tan exactos que sólo se adelantan o retrasan un segundo cada 200 000 años.

El pez martillo se distingue por tener los lados de la cabeza prolongados en cuyos extremos están situados los ojos, presentando cierta similitud con un martillo ya que el resto del cuerpo parece el mango del mismo.

Los tiburones tienen fama de atacar numerosas veces al hombre aunque esto lo hacen con menos frecuencia de lo que se cree, y no suelen constituir un gran peligro en el mar. Son carnívoros y la base de su alimentación son pequeños peces.

El ser humano siempre ha soñado con medir el tiempo. Inicialmente, las razones estaban relacionadas con la supervivencia: determinar la época mejor para la caza, controlar las cosechas etc. Los egipcios y los aztecas fueron civilizaciones muy avanzadas que crearon sistemas muy complejos para la medida del tiempo, como el calendario azteca o piedra del sol, que es el monolito más antiguo de la cultura prehispánica. Pero este saber a menudo se guardaba como un secreto de sacerdotes y faraones, que tenían el poder de controlar el día y la noche, pues podían determinar cuando se produciría un eclipse de sol, por ejemplo.

La manta de mayor tamaño es la manta del Atlántico. La distancia entre los extremos de sus aletas en forma de alas puede llegar a los 7 m.

Alimentación

Las rayas se alimentan de otros peces, a los que cazan cubriéndolos con su cuerpo. La cola de las rayas tiene unos órganos eléctricos que les sirven para localizar a sus presas.

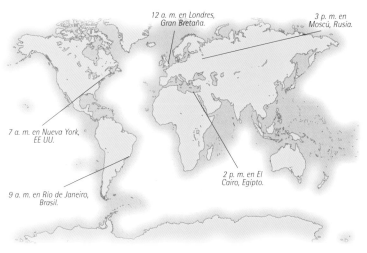

12 a. m. en Londres, Gran Bretaña.

3 p. m. en Moscú, Rusia.

7 a. m. en Nueva York, EE UU.

2 p. m. en El Cairo, Egipto.

9 a. m. en Río de Janeiro, Brasil.

La Tierra está dividida en 24 franjas o husos horarias, cada una de las cuales tiene una hora del día diferente. Esto se hizo para evitar tener diferentes horas dentro de una misma área.

tierra

La tierra es uno de los elementos que forman la **superficie terrestre**. Está compuesta por partículas de mayor o menor grosor, que forman una capa menos dura que las rocas. La tierra está constituida por materia inorgánica y también por materia orgánica (entre un 2 y un 8 %), procedente de restos de plantas y animales. Además, en la tierra, se encuentra agua con sustancias minerales en disolución y pequeñas cantidades de gases (oxígeno, dióxido de carbono y nitrógeno). La composición de la tierra del **suelo** es variable y muy importante, ya que si carece de los nutrientes necesarios para las plantas, éstas no podrán crecer en ella.

La tierra que se va a cultivar se enriquece con sustancias que son necesarias para el crecimiento de las plantas, con fertilizantes y abonos. Asimismo, necesita ser aireada, por eso, antes de sembrar, se suele arar.

Corrimiento de tierra

CURIOSIDADES

Se habla de corrimiento cuando una masa de tierra se desliza sobre el suelo que tiene debajo, llamado superficie de deslizamiento. Esto se debe a una variación en las condiciones de equilibrio que puede ser causada por las fuerzas que se producen en un terremoto; por el cambio de densidad de la tierra debido a la infiltración de agua de lluvia o subterránea; o por la erosión (☞ litosfera) de la superficie de deslizamiento.

Deslizamiento de tierra en el Valle de Fuego (Nevada, EE UU).

Tierra del Fuego

La Tierra del Fuego es un archipiélago situado en el extremo meridional de América del Sur, separado del continente por el **estrecho de Magallanes**. Pertenece a Chile y a Argentina. Las islas que lo componen son montañosas. La principal es Tierra del Fuego. La capital de la provincia argentina es **Ushuaia**, que es la ciudad situada más al sur; y de la provincia chilena es **Punta Arenas**. Aquí vive la mayor colonia de albatros que existe.

Albatros

Al encontrarse tan al sur es muy llamativa la diferencia de luminosidad entre estaciones, pues en invierno hay días con sólo 7 horas de luz solar y en verano el día dura hasta 17 horas. También son características las cumbres nevadas y los glaciares, debido a las bajas temperaturas.

Foca

Hogueras

CURIOSIDADES

Parece que en 1520 el navegante portugués Fernando de Magallanes divisó pequeñas hogueras que los nativos habían encendido en la costa, y por eso llamó a este lugar Tierra de Fuego.

Tierra, La

La Tierra es el tercer planeta del Sistema Solar en proximidad al Sol. Su forma es más o menos esferoidea, con un radio ecuatorial de 6 378,4 km. La distancia media al Sol es de 149,6 millones de km, siendo ésta mayor a primeros de julio y menor a primeros de enero. Este planeta gira alrededor del Sol, siguiendo una órbita elíptica. A este movimiento se le conoce como de **traslación**. La Tierra tarda 365 días, 6 horas, 9 minutos y 24 segundos en dar una vuelta completa alrededor del Sol. Otro movimiento característico de la Tierra es el de **rotación**, que consiste en un giro sobre su eje de rotación en dirección de Oeste a Este y que determina la sucesión de los días y las noches. La Tierra tiene una edad de 4 600 millones de años. El interior de este planeta está estructurado en una serie de capas concéntricas llamadas, de la superficie al centro: corteza, manto y núcleo. La **corteza terrestre** está rodeada, en algunas zonas, por una capa de agua, llamada hidrosfera, formada por lagos, ríos y mares, y por una capa gaseosa, llamada atmósfera.

La biosfera es la parte de la Tierra donde hay vida, e incluye la corteza terrestre, la hidrosfera y la parte más baja de la atmósfera.

En la atmósfera se encuentran gases tan importantes para la vida en la Tierra como el oxígeno.

El núcleo se extiende desde unos 3 000 km de profundidad hasta el centro de la Tierra. La temperatura es tan alta (entre 4 000 y 5 000 ºC) que todos los metales que se encuentran en esta zona están en estado líquido. Entre ellos el más presente es el hierro. El núcleo genera un campo magnético (✍ magnetismo) tan fuerte que puede ser detectado por una brújula normal. Este campo es el responsable de que algunas rocas funcionen como imanes.

La hidrosfera es el conjunto de agua del planeta.

*La parte sólida más externa del planeta se llama **corteza terrestre**. Puede ser **continental** (la que forma los continentes) u **oceánica** (situada debajo de mares y océanos). La primera es más gruesa, pudiendo alcanzar hasta los 40 ó 50 km de grosor; mientras que la segunda oscila entre 1 a 12 km. Su composición también es diferente, la continental es mucho más compleja, con rocas de muy diversa índole, y la oceánica está compuesta básicamente por basalto.*

*La parte superior del **manto**, junto con la corteza terrestre son una capa sólida, formada por rocas, que en conjunto recibe el nombre de **litosfera**. Ésta se apoya sobre la **astenosfera**, una capa de material fluido, llamado **magma**, perteneciente al manto y que alcanza unos 250 km de profundidad. A veces este magma emerge a la superficie a través de los volcanes.*

El origen

La Tierra se originó hace unos 4 600 millones de años. Primero fue un enorme disco de gases incandescentes, que se fueron separando y depositando según su densidad. Luego se formaron el agua y la superficie terrestre.

La Tierra se sitúa lejos del núcleo de la Vía Láctea, nuestra galaxia.

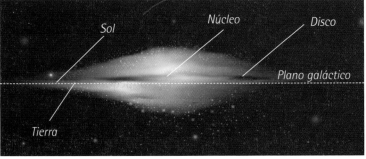

Sol · Núcleo · Disco · Plano galáctico · Tierra

ESTRELLA POLAR
POLO NORTE
TRÓPICO DE CANCER
ECUADOR
TRÓPICO DE CAPRICORNIO
EJE
POLO SUR

Representación de la red geográfica en un globo terráqueo donde se aprecia el eje de rotación y la localización de los polos.

Eje de rotación

El eje de rotación de la Tierra es una la línea imaginaria que atraviesa la Tierra de Norte a Sur y en torno a la cual la Tierra gira en su movimiento de rotación.

El día y la noche

El **movimiento de rotación de la Tierra**, dando vueltas sobre sí misma da lugar al día y la noche. El día tiene lugar cuando los rayos de Sol llegan a un punto de la Tierra, con mayor o menor intensidad según la hora, y la noche, cuando una mitad del planeta queda oculta tras la otra mitad. En cambio, es la posición del planeta en su órbita alrededor del Sol la que influye en la duración de estos días de manera distinta según la latitud. El caso más extremo ocurre en las zonas cercanas a los polos, donde el día y la noche duran 6 meses.

La Tierra vista desde el espacio parece una inmensa bola. Los mares y océanos hacen que se le llame el "planeta azul".

¿La "esfera" terrestre?

Aunque a veces se denomine así a la Tierra e incluso se la represente de esa forma en ocasiones, lo cierto es que nuestro planeta no constituye una esfera perfecta, sino que es más ancho en la zona del ecuador y está achatado por los polos.

El movimiento de traslación

Hay cuatro momentos bien diferenciados en la trayectoria de la Tierra alrededor del Sol o **movimiento de traslación**. En dos ocasiones tenemos un polo oculto al Sol mientras que el otro lo enfrenta, estas situaciones se corresponden con el invierno del hemisferio cuyo polo está oculto y el verano en el otro. Los días son más largos en hemisferio del polo iluminado (verano) y mas cortos en el otro (invierno). Los días del año en que esta diferencia es más marcada reciben el nombre de **solsticios**. Cuando un polo deja de ser iluminado y comienza a iluminarse el otro se producen los **equinoccios**, que coinciden con la primavera y el otoño, y dan principio al "amanecer" y "atardecer" del día y la noche polares. En esos días el día y la noche tienen la misma duración en toda la Tierra.

El 21 de marzo se produce un equinoccio: comienza el otoño en el hemisferio norte y la primavera en el hemisferio sur.

El 21 de diciembre tiene lugar el solsticio de invierno en el hemisferio norte y de verano en el hemisferio sur.

El 21 de junio tiene lugar el solsticio de verano en el hemisferio norte y de invierno en el hemisferio sur.

El 23 de septiembre se produce el otro equinoccio: comienza la primavera en el hemisferio norte y el otoño en el hemisferio sur.

tigre

Los tigres son mamíferos carnívoros, de gran tamaño y pelaje de color amarillento, con rayas negras en el lomo, cabeza, extremidades y cola, que habitan en Asia. Pertenecen a la familia de los felinos. Llegan a medir más de 1 m de altura y hasta 2,8 m de longitud, sin contar la cola. Los tigres viven en solitario o en pequeños grupos cerca de los ríos, en zonas de vegetación frondosa. Son feroces cazadores de gran variedad de presas, desde ciervos y antílopes hasta búfalos y jabalíes.

El tigre de Bengala es uno de los felinos más grandes.

El tigre blanco es una variedad rara del tigre de Bengala. De las 8 especies de tigres existentes, 3 se han extinguido: el tigre de Bali, el del Caspio y el de Java. Del tigre de Bengala quedan unos 3 000 ejemplares. Y el tigre de Sumatra cuenta con tan sólo 400 ejemplares vivos en su hábitat natural.

El tigre es originario del norte de Siberia.

CURIOSIDADES

Comedores de hombres

Los tigres han sido siempre muy temidos por el ser humano. Existe la leyenda de que hay tigres comedores de hombres, pues, una vez que han probado la carne del ser humano, ya no quieren alimentarse de nada más. Esta y otras supersticiones han provocado que el tigre haya sido perseguido y cazado, colocándolo al borde de la extinción.

tilde

La tilde es una rayita oblicua que se coloca sobre la **sílaba tónica** (☞ acento) de algunas palabras. Si la palabra es aguda, llevará tilde si acaba en *n*, *s* o vocal (*colchón, compás, café*). Si la palabra es llana, llevará tilde si acaba en cualquier consonante que no sea *n* ni *s* (*cárcel, dúctil*). Si es esdrújula o sobresdrújula, siempre llevará tilde (*lástima, asegúramelo*). Además de estas reglas generales de acentuación, existen otras para casos particulares, como los diptongos, triptongos e hiatos, o la llamada **tilde diacrítica**, que es la que sirve para distinguir palabras que se pronuncian igual y tienen funciones diferentes.

Tilde diacrítica

En monosílabos

el (artículo masculino)	él (pronombre personal)
tu (posesivo)	tú (pronombre personal)
mi (posesivo)	mí (pronombre personal)
te (pronombre personal)	té (sustantivo)
mas (conjunción)	más (adverbio de cantidad)
si (conjunción)	sí (adverbio de afirmación)
de (preposición)	dé (imperativo de dar)
se (pronombre personal)	sé (verbo saber o ser)

En demostrativos

Los demostrativos este, ese y aquel, con sus femeninos y plurales, cuando funcionan como pronombres, aunque no es obligatoria:

Estos regalos son tuyos.	Éstos son tus regalos.
Ese es mi padre.	Ésa es la mía.
Aquellas cajas pesan más.	Aquéllos son más baratos.

En interrogativos y exclamativos

Las palabras adónde, cómo, cuál, cuándo, cuánto, dónde, qué y quién llevan tilde cuando tienen sentido interrogativo o exclamativo.

Fue adonde te vi.	¿Adónde has ido?
Se llama como tú.	¿Cómo te llamas?
Sé lo que dices.	¿Qué me estás contando?

Otros casos

solo (en soledad)	sólo (solamente)
aun (hasta, también)	aún (todavía)

Timor Oriental

Timor Oriental es un país de Oceanía que abarca la mitad este de la isla de Timor, más la dependencia de Oecusse, la isla Atauro y el islote Yaco. Es de origen volcánico, montañosa y con abundantes selvas. Fue colonizada por los portugueses desde el s. XVI y tras su **independencia** en 1975 fue ocupado por la vecina Indonesia. Tras muchos enfrentamientos entre los partidarios de la independencia y los partidarios de la unión a Indonesia la ONU se vio obligada a intervenir en 1999. En mayo de 2002 obtuvo la independencia bajo la presidencia de **Xanana Gusmao**.

Tras la desaparición de los frondosos bosques, el cultivo de café se ha convertido en la base de la economía, pues aunque es un país rico en recursos naturales, están aún sin explotar.

Timor Oriental

- **Habitantes**
  739 000
- **Superficie**
  14 874 km²
- **Densidad**
  50 hab./km²
- **Capital**
  Dili
- **Otras ciudades importantes**
  Baukau
- **Sistema de gobierno**
  República
- **Idioma**
  tetum
- **Moneda**
  dólar estadounidense

Mujeres de Bobonan. El pueblo maubere es de origen melanesio y malayo, muchos de ellos han tenido que refugiarse en otros países, especialmente en Australia y Portugal, debido a la guerra con Indonesia. Antes del conflicto había en el país una importante colonia de inmigrantes chinos y varios miles de portugueses.

Los mauberes intercambiaban su madera por hachas, porcelanas, plomo y otros objetos útiles.

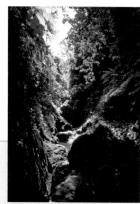

Maderas preciosas

Mucho antes de la llegada de los portugueses este territorio era conocido por los chinos y los árabes por la calidad y cantidad de madera de sus bosques, en especial el sándalo blanco. Ahora están arrasados por la superexplotación, lo cual es un desastre ecológico.

Fuerzas militares de Naciones Unidas intentan mediar entre los grupos enfrentados, ya que la guerra y la represión han producido muchas víctimas. Por ejemplo, durante el dominio indonesio estaba prohibido hablar el idioma nacional, el tetum, en las escuelas y se intentaba trasladar gran número de mauberes a otros lugares, para convertirlos en minoría en su propio país.

tiro con arco

El tiro con arco es un deporte que se practica lanzando flechas mediante un arco. Las **flechas** son barras de madera o de otros materiales, con un extremo afilado, y el otro con un penacho de plumas o una estructura similar, que les da estabilidad durante el vuelo. Los **arcos** son estrechas tablillas curvadas, de madera, fibra de vidrio, grafito u otros materiales, a cuyos extremos se une una cuerda en la que se apoya la flecha para ser lanzada. Cuando se tira de la cuerda el arco se dobla y se crea una tensión que hace que, al soltarla, la flecha salga disparada. Hay distintos tipos de categorías dentro de las competiciones de tiro con arco, destacando la diana, las pruebas de caza y las de distancia de vuelo. El tiro con arco es un **deporte olímpico**.

Plumas

Tubo o astil

Punta

El tiro con arco consiste en lanzar una flecha desde una distancia prefijada intentando atinar en la parte central de la *diana*, que es un conjunto de círculos concéntricos de diferentes colores, cada uno de los cuales tiene un valor. El torneo más antiguo que todavía se celebra hoy en día es el Ancient Scorton Arrow, y se inició en Yorkshire (Gran Bretaña) en 1673.

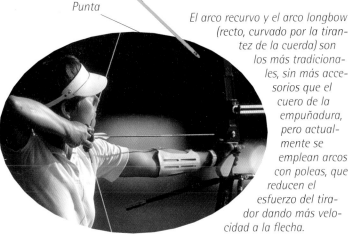

El arco recurvo y el arco longbow (recto, curvado por la tirantez de la cuerda) son los más tradicionales, sin más accesorios que el cuero de la empuñadura, pero actualmente se emplean arcos con poleas, que reducen el esfuerzo del tirador dando más velocidad a la flecha.

Arqueros

Antes de convertirse en deporte el tiro con arco fue un sistema de caza y un arma de guerra empleado desde hace 25 000 años. Los arqueros tenían un papel destacado en la fase previa de las batallas del mundo antiguo y medieval porque podían atacar desde la distancia, cobijados detrás de los muros de un castillo o en una emboscada.

Titicaca, lago

El lago Titicaca es el mayor de América del Sur. Se encuentra en los altiplanos de los Andes, entre Bolivia y Perú. Tiene muchas islas y es también el lago navegable situado a mayor altitud, 3 800 m. En él viven gran variedad de peces y aves acuáticas. En sus alrededores hay importantes restos arqueológicos de épocas incluso anteriores a los incas.

El lago actual es una muy pequeña porción de lo que una vez fue un inmenso mar. Tanto para los incas como para los habitantes de Tiahuanaco era un lago sagrado.

Tiziano

Tiziano [1490-1576] fue un **pintor italiano**, una de las figuras más destacadas de la escuela de pintura veneciana del siglo XVI. Trabajó para los príncipes de toda Italia y las monarquías europeas. Tuvo una vida muy larga, por lo que hizo muchas obras, con un estilo muy personal y nuevo. Algunas de sus obras son *Bacanal, Enterramiento de Cristo, Retrato ecuestre de Carlos V, Venus de Urbino, Amor sacro y amor profano*, etc.

Autorretrato
del pintor fechado hacia 1567. El rostro está muy iluminado y capta el carácter del retratado, en este caso él mismo.

Retrato de Carlos V. *Tiziano fue pintor de corte del emperador, que le nombró Caballero de la Espuela de Oro y Conde Palatino en recompensa por sus servicios.*

Cristo colocado en el sepulcro *es una de sus principales obras de tema religioso, en la que se refleja su crisis personal tras la muerte de algunos amigos íntimos.*

Amor sacro y amor profano *es un ejemplo de sus cuadros alegóricos, en los que se combinan elementos reales y mitológicos.*

Togo

Togo es un país situado en la costa occidental de África. El interior del país está ocupado por una meseta limitada al oeste por los montes Togo y al sur por una llanura baja. El **clima** es tropical, con temperaturas cálidas y lluvias abundantes. Los principales ríos son el Mono y el Oti. Togo es un país agrícola: cultivo de palma de aceite, café, cacao, algodón y palma cocotera. Además la población se ocupa en la explotación de bosques y la pesca. Los portugueses llegaron a las costas de Togo en el siglo XV. Los alemanes ocuparon el país en el siglo XIX y posteriormente lo hicieron franceses y británicos, que se repartieron el territorio. La parte británica se integró en Ghana en 1956, mientras la francesa consiguió la **independencia** en 1960.

Las mujeres de Togo están habituadas a llevar grandes pesos en la cabeza sin perder el equilibrio.

DATOS

Togo

- **Habitantes**
  4 801 000
- **Superficie**
  56 790 km²
- **Densidad**
  85 hab./km²
- **Capital**
  Lomé
- **Otras ciudades importantes**
  Kpalimé, Sokodé
- **Sistema de gobierno**
  República presidencialista
- **Idioma**
  Francés y dialectos africanos
- **Moneda**
  Franco CFA

*Los **grupos étnicos** predominantes son los ewé, kabye y mina. Los descendientes de esclavos (esclavitud) libertos retornados del Brasil, denominados "brasileños", constituyen una "casta" con gran influencia política y económica.*

Tokio

Tokio es la **capital de Japón**. Es una de las ciudades más pobladas de la tierra. Se encuentra en la bahía de Tokio, en la **isla de Honshu**. Forma parte de un gran centro urbano que comprende además las ciudades de **Yokohama** y **Kawasaki**. Es un importante núcleo industrial: textil, electrónica, alimentaria, óptica, química, etc. y también comercial, administrativo y cultural. Cuenta con más de cien universidades y también importantes centros como el Museo Nacional o el de Arte Occidental. El Palacio Imperial, el castillo de Edo y algunos templos budistas (☞ budismo) como el Sanno son muestras de la arquitectura de Tokio. Tokio es capital del país desde 1868 y hasta ese año su nombre era **Edo**.

Llama la atención el contraste entre las bulliciosas calles flanqueadas por rascacielos y la tranquilidad de los parques y los templos budistas.

Toledo, Alejandro

Alejandro Toledo (n. 1945) es un **economista** y **político peruano**. En 1994 anunció su candidatura a las elecciones presidenciales de 1995 encabezando la agrupación electoral País Posible que estableció alianza con la Coordinadora Democrática. Es presidente de Perú desde mediados de 2001 concluyendo su mandato el 28 de julio del 2006. Durante su gobierno, las estadísíticas económicas indican un crecimiento de la economía peruana

Tolkien, John

John Tolkien [1892-1973] fue un **escritor británico**. Era especialista en literatura medieval y además conocía perfectamente la mitología celta. Fue profesor de lengua y literatura anglosajonas en la universidad de Oxford. Su obra más reconocida es la trilogía fantástica *El señor de los anillos* (1955), llevada al cine por el director Peter Jackson; otras obras son *El hobbit* (1937) y *El Silmarillion*, que apareció publicada después de su muerte.

Tolstoi, Lev

Lev Tolstoi [1828-1910] fue un **escritor ruso**, uno de los novelistas más destacados de la literatura mundial. En sus obras hay una mezcla de realismo con cierto idealismo religioso y social. Sus principales novelas son *Guerra y paz* (1865-1869), que narra las guerras napoleónicas en Rusia, y *Ana Karenina* (1876-1877), que ofrece un magnífico panorama de la sociedad contemporánea del novelista. Otras novelas de Tolstoi son *La muerte de Iván Ilich* (1886), *Sonata a Kreutzer* (1891), y *Resurrección* (1899), cuya aparición motivó su excomunión (1901).

tomate

El tomate es el fruto de la **tomatera**, planta originaria de los Andes y de América Central, y una de las hortalizas más importantes. El tomate es un fruto de forma redondeada, rojo brillante y blando. Su interior está formado por una pulpa acuosa y gran cantidad de pequeñas semillas. Los tomates son muy ricos en sales minerales y en algunas vitaminas, como la vitamina C. Este fruto se consume crudo, formando parte de ensaladas, y se utiliza también en la preparación de muchos platos cocinados.

El zumo de tomate es una bebida muy refrescante y saludable, con todas las vitaminas del tomate.

Los tomates verdes o tomatillos son muy empleados en la cocina mexicana, en particular para hacer la llamada salsa verde, en la que sirve para suavizar el sabor picante de los chiles.

Tamarillo

Es una especie de tomate de árbol. Su sabor es agridulce y su delgada piel posee un sabor áspero, por lo que se desprende antes de consumir. En su interior contiene muchas semillas oscuras.

Tonga

Tonga es un país de Oceanía, compuesto de unas 150 islas de origen volcánico o coralino. Su clima es cálido y húmedo. La agricultura, con cultivos de calabaza, mandioca y banano, la pesca y el turismo son las principales actividades económicas. Los exploradores europeos llegaron a Tonga en el siglo XVII y **Cook** la llamó **Islas de la Amistad** en 1773. Aunque aceptó la protección británica desde 1900 hasta 1970, cuando el rey Tupou IV restableció la plena soberanía del país, el reino de Tonga es la única nación del pacífico Sur que nunca ha estado bajo el dominio colonial (☞ colonialismo) de una nación europea, y cuyo gobierno desciende directamente de la monarquía polinesia original.

Isla Fonualei · 18°
Isla Toku
Grupo Vava'u
OCÉANO
Isla 'Uta Vava'u · Neiafu
PACÍFICO
Isla Hunga
Isla Late
Arrecife Home
Arrecife Disney
TONGA
Isla Ha'ano
Isla Kao · Isla Foa · *Grupo Ha'apai*
Isla Tofua · Isla Fotuha'a · Isla Lifuka
Grupo Kotu · Isla Uiha
Isla Ha'afeva · 20°
Isla Nomuka · *Grupo Oto Tulu*
Isla Fonuafo'ou
Grupo Nomuka · Isla Toñumea
Isla Hunga Ha'apai · 174°
0   87 km
Nuku'alofa · Isla Tongatapu
Grupo Tongatapu · Isla Eua

Coro femenino a la salida de la iglesia. La mayoría de los tonganos son cristianos, aunque de diferentes confesiones: metodistas 60 %; mormones 15 %; católicos 14 %; adventistas del séptimo día 5 %, etc.

Muchos tonganos se ganan la vida cultivando calabazas, que exportan principalmente a Japón.

Hombre trepando a un cocotero. Los cocoteros son una de sus principales cultivos junto con la mandioca, el banano y las calabazas.

Tonga

Habitantes
103 000

Superficie
699 km^2

Densidad
147 hab./km^2

Capital
Nuku'alofa

Otras ciudades importantes
Neiafu

Sistema de gobierno
Monarquía hereditaria

Idioma
Inglés, tongano

Moneda
Pa'anga

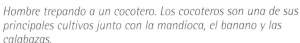

La danza y la música tradicional tienen un lugar destacado en Tonga. Las danzas se caracterizan por los suaves movimientos de manos y brazos de bailarines que danzan acompaña-dos del tambor, el banjo y la guitarra.

Los habitantes de las islas son en su mayoría polinesios, que llegaron a Tonga desde Fidji hace 3000 años. Los tonganos eran feroces guerreros, que navegaron en sus canoas hasta Samoa y otros lugares de Oceanía, construyen-do un gran imperio.

topo

Los topos son un grupo de especies de pequeños mamíferos, de aspecto rechoncho, ojos peque-ños, casi ocultos bajo el pelo, y dedos largos con fuertes uñas, de las que se sirven para excavar las **galerías subterráneas** en las que viven. La especie más conocida es el **topo común**, de unos 15 cm de longitud y casi ciego, que habita en Europa y parte de Asia. Otra especie es el **topo musaraña**, que tiene una larga cola, excava galerías y trepa a los árboles. Vive en América del Norte y Asia.

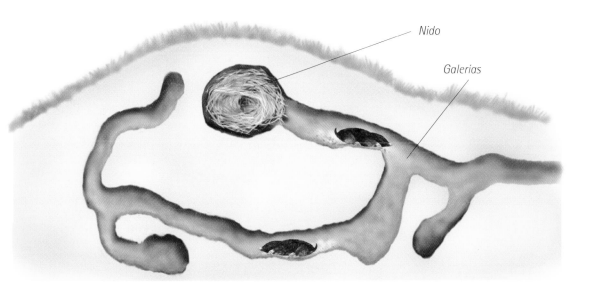

Nido

Galerías

El topo no construye madrigueras permanentes, pues el terreno se hunde a medida que prosigue la excavación. El nido se dispone a una profundi-dad de entre 30 y 60 cm y está tapizado de hierbas y hojas.

topografía

La topografía es la ciencia que determina la forma en que se deben representar en los mapas los accidentes geográficos, y otros elementos naturales y humanos de la superficie terrestre. Uno de los instrumentos más utilizados por los topógrafos es el **teodolito**, que es un instrumento óptico a través del cual se observan las distancias y ángulos que existen entre el observador y un punto más o menos lejano, señalado por una barra.

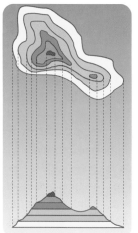

*Los mapas topográficos señalan las distintas altitudes y los accidentes geográficos por medio de colores. También se pueden reflejar obras del ser humano, como carreteras, minas, canales, líneas de ferrocarril, etc. Se suele situar en una esquina del mapa la escala o proporción entre las medidas reales y las del mapa, y también un recuadro con las claves para interpretar los signos. Una **curva de nivel** (geografía y mapa) es la representación en el plano de los relieves, poniendo del mismo color puntos que están a la misma altura.*

Torá

La Torá o Torah es la base de la ley y la religión judía (judaísmo). Consta de los cinco libros de Moisés (hebreos) o Pentateuco (Génesis, Éxodo, Levítico, Números y Deuteronomio). En ella están incluidos los **diez mandamientos** que, según la tradición, fueron entregados por Dios a Moisés en el Monte Sinaí. La lectura de la Torá en la sinagoga es una parte fundamental del culto judío, porque es la forma de comunicarse con el Creador. Esta lectura debe realizarse, al menos, cuatro veces por semana: dos el sábado, el lunes y el jueves.

*Los diez mandamientos escritos en las **tablas de la ley** se encuentran en la Torá.*

El pergamino que contiene el Pentateuco enrollado y que se guarda en el Arca de una Casa de oración (o Beit Kneset) se llama Sefer Torá. Para la lectura del rollo de la Torá se utiliza un señalador llamado yadit.

tormenta

Una tormenta es una **borrasca,** es decir, una zona de baja presión atmosférica (aire), rodeada de vientos que giran en sentido contrario a las agujas del reloj, de gran intensidad. Las tormentas son fenómenos localizados en pequeñas áreas y suelen estar asociadas a nubes del tipo de los cumulonimbos. Producen lluvias abundantes, además de **truenos** y **relámpagos**, y, en ocasiones, **granizo**.

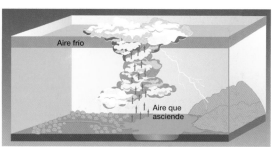

La tormenta se produce cuando una masa de aire asciende muy deprisa hasta grandes alturas, allí se enfría y el vapor de agua se condensa y cae en forma de lluvia o granizo. Se acompaña de fuertes vientos, y de rayos y truenos.

tornado

Los tornados son remolinos de vientos muy fuertes, con una característica forma de embudo que desciende desde una nube de tipo cumulonimbo. Son visibles porque están formados por gotas de agua condensada y polvo que arrastran desde la superficie de la tierra. Los tornados contactan con el suelo en un área que varía desde varios metros hasta casi un kilómetro y producen graves daños por donde pasan, debido a la fuerza del viento y a la baja presión atmosférica (aire) de su interior. La formación de los tornados aún no se ha explicado satisfactoriamente, aunque parece claro que tienen que ver con movimientos violentos de la atmósfera, desarrollándose en zonas de baja presión y con vientos fuertes.

Los tornados producen destrucción a su paso y el hecho de que sean imprevisibles hace que sea muy difícil evitar los daños. Así ocurrió en agosto de 2005 cuando el tornado Katrina (con vientos de hasta 233 km/h) arrasó los estados de Louisiana, Mississippi y Alabama.

Un tornado es un torbellino violento que se extiende desde las nubes hasta la superficie terrestre. Los tornados se desplazan rápidamente y sus vientos pueden alcanzar velocidades de 400 km/h o más, cambian de dirección y causan grandes destrozos. Cuando ocurren sobre océanos o lagos se llaman trombas. Se producen cuando una masa de aire caliente, choca con un frente frío, formando una gran tormenta. El aire caliente se eleva por el embudo y el aire frío que se encuentra alrededor ocupa el vacío. Esto genera un torbellino que empuja con enorme fuerza el aire hacia el centro del tornado, por eso el embudo puede succionar objetos de gran volumen, como un coche.

Toro sentado

T oro sentado (1831-1890) es un **líder de los siux** hunkpapa. Lideró la alianza con las tribus cheyenes que consiguió la victoria contra el ejército estadounidense en junio de 1876, en Little Big Horn. Perseguido por el ejército huyó a Canadá con parte de su tribu. Allí soportó el hambre y las enfermedades hasta su regreso en 1881 para rendirse y entrar en una reserva del gobierno. Murió asesinado por la policía de la reserva por su apoyo a un movimiento de resistencia pacífica (la "Danza de los Espíritus").

Torrijos, Martín

M artín Torrijos Espino (n. 1963) es un **político panameño**. Estudió Ciencias políticas y economía en la universidad de Texas. Se presentó a la elecciones de 2004 con una campaña optimista y con fuertes promesas de luchar contra la corrupción y llevar a prisión a los culpables. Fue elegido presidente de Panamá a finales de 2004.

tortuga

L as tortugas son reptiles de tamaño y peso variables según la especie, que tienen el cuerpo protegido dentro de un **caparazón** formado por dos placas óseas (una dorsal, llamada escudo, y otra ventral, llamada peto). Las tortugas se reproducen mediante huevos que entierran en la tierra o en la arena. Hay dos tipos principales de tortugas: las terrestres y las acuáticas. Las **tortugas terrestres** tienen extremidades robustas, terminadas en un muñón en el que se agrupan sus dedos, y se mueven sin arrastrarse por el suelo. Dentro de este grupo se incluye, por ejemplo, la **tortuga gigante**, de hasta 1,20 m de longitud, que habita exclusivamente en las islas Galápagos en Ecuador, y la **tortuga griega** o **de jardín**, que vive en el sur de Europa y en el norte de África. Las **tortugas acuáticas** viven en mares, ríos y lagos de las zonas más cálidas del planeta, y tienen extremidades en forma de aleta, adaptadas para nadar. Dentro de éstas destacan la **tortuga común** o **verde**,

La tortuga gigante de las Galápagos alcanza un tamaño sorprendente.

que vive en aguas tropicales poco profundas; la **tortuga carey**, que vive en mares cálidos y templados; la **tortuga boba**, que puede llegar a pesar 400 kg; y la **tortuga laúd**, cuyo caparazón se estrecha en la zona posterior y vive en las zonas cálidas del Atlántico y del Pacífico.

Tortuga marina. Para realizar la puesta de huevos las hembras alcanzan las playas al anochecer en busca de un lugar idóneo donde confeccionarán un nido, excavando con mucho esfuerzo un hoyo en la arena. Tras desovar recubren los huevos de arena y vuelven al mar.

transporte

Los transportes o medios de transporte son las distintas formas en que las personas se mueven o trasladan sus bienes de un lugar a otro. Desde el principio de los tiempos, el ser humano ha necesitado moverse para buscar alimento y cobijo. Nuestro cuerpo es una máquina especialmente diseñada para este propósito: **caminar**. Con el paso de los siglos aparecieron otros medios de transporte, como el transporte acuático en **balsas** construidas con troncos o por tierra, montando sobre animales como los **caballos**. Tras la invención de la rueda aparecieron los **carros**, tirados por animales o incluso por otras personas. Durante la Edad Media los transportes sufrieron un gran cambio al mejorarse los barcos veleros con la invención de la quilla, la vela triangular y la brújula magnética. El transporte por tierra mejoró enormemente y se construyeron los primeros **coches de caballos**. Un hito importante en la historia del transporte fue la invención de la máquina de vapor. En 1820, George Stephenson construyó la primera **locomotora** de vapor iniciándose así el desarrollo de este nuevo medio de transporte (⌕ ferrocarril). Poco antes, en 1807 había sido construido por Robert Fulton, en EE UU, el primer **barco de vapor** (⌕ barco). El transporte por carretera mediante automóviles no se desarrolló hasta el siglo XX, que también se caracterizó por la aparición del medio de transporte más veloz: el avión.

*Los transportes aéreos y marítimos tienen fijadas unas rutas, llamadas **redes de transporte**, que tienen en cuenta las corrientes atmosféricas y marítimas. También las carreteras y vías férreas forman redes.*

La diligencia

Un curioso medio de transporte es la diligencia. Está formada por un carruaje de cuatro ruedas arrastrado por caballos y que se utiliza para el transporte de pasajeros. Aunque fue muy utilizada en Inglaterra, el país donde se popularizó fue en EE UU, sobre todo en el Oeste. El transporte de pasajeros, mercancías y correo, mediante diligencias estaba, a menudo sometido a innumerables peligros, como asaltos, ataques de indios, etc. (⌕ la conquista del Oeste). La diligencia dejó de utilizarse con la aparición del ferrocarril.

Redes de transporte

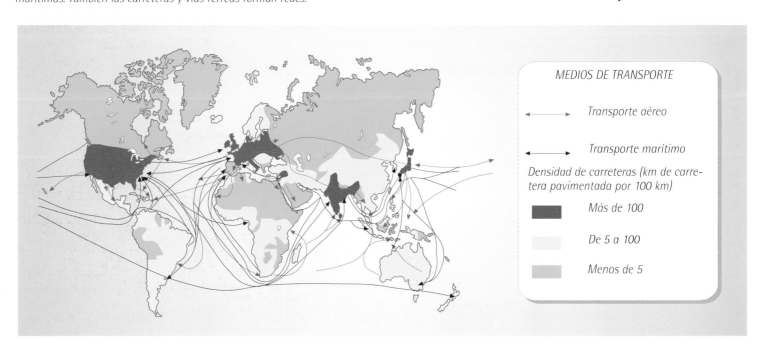

MEDIOS DE TRANSPORTE

↔ Transporte aéreo

↔ Transporte marítimo

Densidad de carreteras (km de carretera pavimentada por 100 km)

Más de 100

De 5 a 100

Menos de 5

El primer **metro**, con trenes impulsados por locomotoras a vapor, fue el de Londres, inaugurado por la Metropolitan Railway Company el 10 de enero de 1863. Durante los siguiente años la red se fue extendiendo. En 1890 se inauguró la primera línea electrificada (la actual Northern Line).

Desde el primer vuelo con motor de los *Hermanos Wright* en 1903, los avances en la aviación han sido continuos, pasando de los primeros aviones de hélice hasta los modernos reactores comerciales de hoy en día, como el Airbus 380 capaz de transportar hasta 800 pasajeros.

Hitos en la historia del transporte

Cronología	Localización geográfica	Aportaciones innovadoras
3 500 a. C.	Mesopotamia	Rueda
2 000 a. C.	Babilonia	Puente
3 000 a. C	Egipto	Barco de vela
1 000 a. C	China	Código de carreteras
700 a. C.	Grecia	Trirremes
600 a. C	Roma	Calzadas
s. XV a XVI	España y Portugal	Carabela y galeón
s. XV a XVI	Hungría	Carroza con suspensión
1650	Francia	Diligencia
1814	Gran Bretaña	Locomotora
1825	Gran Bretaña	Primer tren de pasajeros
1852	Francia	Globo dirigible
1855	Francia	Bicicleta
1870	Francia	Automóvil
1899	Europa	Locomotora eléctrica
1902	EE UU	Vuelo con motor
1921	Italia	Autopistas
1956	Francia/Gran Bretaña	Avión comercial supersónico
1957	URSS	Primer satélite espacial Sputnik I
1953-1961	URSS	Barcos con energía nuclear

trasplante

Un trasplante es una operación quirúrgica que consiste en sustituir un órgano o tejido dañado o que no funciona adecuadamente por otro sano. Se conoce como **donante** al individuo del que procede el órgano o tejido que va a ser trasplantado y como **receptor** al individuo que recibe este órgano o tejido. Según quién sea el donante se distinguen distintos tipos de trasplantes. Si el tejido procede del mismo individuo al que va a ser trasplantado, se denomina **autotrasplante**. Este tipo de trasplante se realiza frecuentemente con tejidos como la piel. Si el trasplante se realiza entre individuos de la misma especie se denomina **homotrasplante** y si se realiza entre individuos de distinta especie, **heterotrasplante**. Para que el trasplante tenga éxito es necesario que donante y receptor sean compatibles, ya que de otra forma el mecanismo inmunitario (➿ inmunidad) del receptor, que considera al órgano nuevo como un elemento extraño, lo rechazaría.

Los donantes de órganos hacen que otras personas puedan vivir gracias a ellos.

Corazón

El cardiocirujano sudafricano Christian Barnard en 1967 realizó el primer trasplante cardíaco en el mundo. Pese a que su paciente sólo alcanzó a vivir 18 días, la hazaña lo convirtió en una celebridad médica internacional.

trigo

El trigo es una planta anual (es decir, que se siembra y se recoge en un año) de la familia de las gramíneas, que llega alcanzar de 0,5 a 2 m de altura. En su extremo superior, este cereal desarrolla una **espiga** donde crecen los **granos** de trigo. Al moler el grano se obtiene la **harina**, con la que se elaboran distintos alimentos, principalmente el **pan**. El resto de la planta forma la **paja**, utilizada para cubrir el suelo de los establos y como alimento para el ganado. El trigo es originario de Asia y del norte de África, y fue una de las primeras plantas cultivadas por el ser humano, a partir del neolítico. Desde entonces, se ha convertido en un alimento básico para nosotros. Los principales productores son Rusia, EE UU, los países de Europa occidental, China, la India y Australia.

La espiga está formada por un eje llamado raquis, que lleva insertas las espiguillas alternativamente a derecha e izquierda. El número de espiguillas puede llegar hasta 25 y se recubren unas a otras.

La siega consiste en cortar las espigas de trigo. Antes se realizaba con hoces, ahora hay máquinas segadoras.

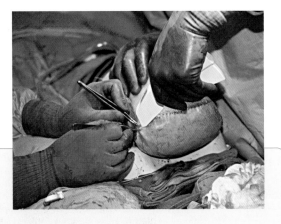

Hay que separar el grano de la paja porque cada uno sirve para cosas distintas. El grano se muele en los molinos, que en la antigüedad funcionaban con la fuerza del viento o el agua.

La harina con la que se hace el pan se obtiene moliendo el grano.

Trinidad y Tobago

Trinidad y Tobago es un país de América del Sur. Está formado por las islas de Trinidad y de Tobago, además de otras menores. En el norte y centro de Trinidad hay montañas cubiertas de fértiles bosques y Tobago está rodeada de arrecifes de coral. El **clima** es cálido y con frecuentes lluvias de junio a diciembre. La principal riqueza de este país es el petróleo, el gas natural y el asfalto. Además, se cultiva cacao, caña de azúcar, arroz y café, y el turismo también aporta beneficios. Trinidad fue descubierta por Colón en 1498, aunque en 1802 pasó a manos británicas, que además añadieron Tobago en 1888. En 1962 se alcanzó la **independencia**.

CURIOSIDADES

Petróleo

En la isla de Trinidad, la isla más grande, el petróleo ha surgido en la superficie y ha formado el lago Pitch, un lago de alquitrán que tiene 84 metros de profundidad y que ha convertido la isla en la mayor fuente mundial de asfalto.

A pesar de la creciente contaminación de las aguas, el cálido clima y el carácter acogedor de la gente atrae al turismo.

Puerto España (Port of Spain) es la capital de Trinidad y Tobago. Es el principal puerto del país y también su centro comercial. La catedral católica de Trinidad es un ejemplo de arquitectura caribeña. Las religiones mayoritarias son el catolicismo, el protestantismo, el hinduismo y el islamismo.

TRINIDAD

Y TOBAGO

Isla de Tobago
Charlotteville
Roxborough
Moriah
Plymouth
Scarborough
Punta Sandy
Canaan

MAR CARIBE

Isla de Trinidad
Punta Galera
Toco
Maraval
Maracas
Saint Joseph
Tunapuna
Puerto España
San Juan
Arouca
Arima
Guaico
Sangre Grande
Golfo de Paria
Bahía Matura
OCÉANO ATLÁNTICO
Tabaquite
Bahía Cocos
Río Claro
Punta Guatuaro
San Fernando
La Brea
Princes Town
Tableland
Pierreville
Bahía Mayaro
Bahía Guapo
Brighton
Débé
Peñal
Basse Terre
Guayaguayare
Punta Galeota
Point Fortin
Siparia
Moruga
Cabo Casa Cruz
San Francique
Fullarton
Punta del Arenal
0   37 km

DATOS

Trinidad y Tobago

- **Habitantes**
  1 298 000
- **Superficie**
  5 130 km²
- **Densidad**
  253 hab./km²
- **Capital**
  Puerto España (Port of Spain)
- **Otras ciudades importantes**
  Arima, San Fernando
- **Sistema de gobierno**
  República parlamentaria
- **Idioma**
  Inglés (oficial)
- **Moneda**
  Dólar de Trinidad y Tobago

trópico

Los trópicos son dos paralelos situados a ambos lados del ecuador. El trópico situado al norte del ecuador, es decir en el hemisferio Norte, recibe el nombre de **Trópico de Cáncer**, ya que el Sol entra en la constelación de Cáncer en el solsticio de verano (☞ estaciones), que es el momento en el que los rayos solares caen perpendiculares sobre el trópico. El trópico situado al sur del ecuador recibe el nombre de **Trópico de Capricornio**, ya que el Sol entra en esta constelación durante el solsticio de invierno. La zona situada en la proximidad de los trópicos recibe el nombre de **zona tropical**, y su clima y su vegetación tiene unas características propias.

Climas tropicales

Hay dos tipos principales de clima tropical: seco (muy árido, con temperaturas extremas durante el día) y húmedo (con una estación húmeda y otra seca muy marcadas). Son característicos del primero los desiertos del Sáhara, Arabia y Australia, y del segundo India, Indochina, el oeste de África, Sudamérica en las regiones periféricas del Amazonas y Australia.

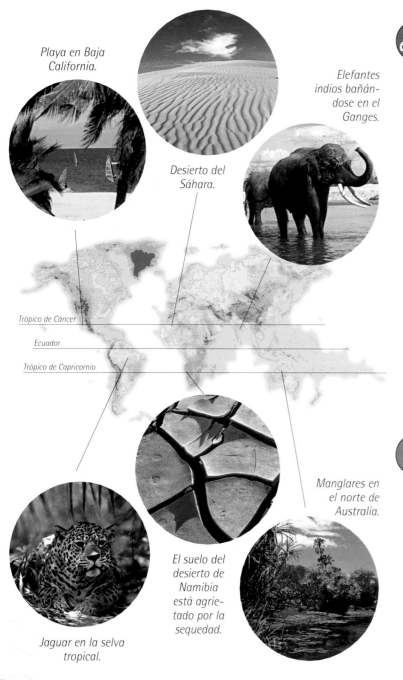

Playa en Baja California.

Desierto del Sáhara.

Elefantes indios bañándose en el Ganges.

Trópico de Cáncer

Ecuador

Trópico de Capricornio

Manglares en el norte de Australia.

El suelo del desierto de Namibia está agrietado por la sequedad.

Jaguar en la selva tropical.

Trotsky, Lev

Trotsky [1879-1940] fue un **político soviético**. En 1900 fue desterrado a Siberia por sus ideas. Cuando regresó, colaboró con Lenin y fue desterrado de nuevo, aunque logró escaparse. Cuando comenzó la revolución rusa (☞ Lenin, comunismo y Unión Soviética), se unió a Lenin y formó parte del partido bolchevique. Desempeñó diversos cargos políticos, pero sus desavenencias con Stalin le supusieron ser expulsado del país en 1929. Murió asesinado en México.

Truffaut, François

François Truffaut [1932-1984] fue un **director y actor de cine francés**. También trabajó como crítico de cine. Algunas de sus películas son *Los cuatrocientos golpes* (1959), *La piel suave* (1964), *Fahrenheit 451* (1966), *La noche americana* (1973), etc.

tsunami

El tsunami (significa "olas del puerto" en japonés) son grandes olas que se forman por un maremoto cuando el suelo del océano se mueve produciendo así corrimientos de tierra debido al temblor. La mayoría de los tsunamis tienen lugar entorno al llamado Círculo de Fuego que es una zona de volcanes que se encuentra en el océano Pacífico y que ocupa una extensión de 32 500 km. La ola puede tener en el mar una altura de un metro y llegar a la costa alcanzando 15 m. Las consecuencias de un tsunami suelen ser devastadoras como ocurrió en Kamchatka en 1737 donde las olas llegaron a alcanzar unos 70 m aproximadamente y, más recientemente, en 2004 en Asia.

El último tsunami tuvo lugar en Asia en las navidades de 2004 donde las vastas olas acabaron con la vida de aproximadamente 300 000 personas. La onda expansiva de las olas afectó a Indonesia, Tailandia, Sri Lanka, India, Bangladesh, Burma, Malasia, Islas Maldivas, Somalia, Kenia, Tanzania y las Islas Seychelles.

tucán

El tucán es un pájaro que habita en las regiones tropicales de América. Se caracteriza por su **vistoso y colorido pico** de gran tamaño. Su cuerpo es relativamente pequeño y robusto. Existen unas 40 especies distintas de tucanes. El plumaje de los tucanes suele ser negro y blanco en el pecho, y con algunas plumas rojas y amarillas. Estos pájaros se alimentan sobre todo de frutos, aunque también comen pájaros pequeños y reptiles. Los tucanes no construyen nidos, sino que ponen sus huevos en los agujeros de los árboles.

túnel

Los túneles son galerías construidas bajo la tierra o bajo el agua, con el objetivo de crear un paso artificial para personas, vehículos o para transportar productos como petróleo, agua o gas. En la construcción de túneles se emplean explosivos o potentes máquinas llamadas **perforadoras**, para perforar la tierra.

Cuando se planifica la construcción de una carretera y se encuentra en su recorrido algún obstáculo, como puede ser una montaña, en muchas ocasiones se suele construir un túnel ya que puede resultar más económico atravesar la montaña, que rodearla.

Algunos de los principales túneles del mundo

-El túnel del Canal de la Mancha: es un túnel submarino que mide 50,5 km y comunica Francia e Inglaterra. Por su interior circulan trenes y automóviles y es el más largo del mundo con estas características.

-El túnel del Mont Blanc, entre Francia e Italia, atraviesa los Alpes, mide 11,6 km, y por su interior circulan automóviles.

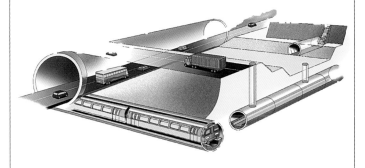

-El Simplon comunica Suiza e Italia a través de los Alpes. Es el túnel para trenes más largo de los Alpes, con una longitud de casi 20 km.

-El Yerba, localizado en la bahía de San Francisco, atraviesa la isla de Yerba Buena, tiene dos pisos y es el de mayor diámetro del mundo.

Túnez

Túnez es un país situado en el norte de África. En el norte se encuentra la cordillera del Atlas, en el centro hay una serie de llanuras, y en el sur se adentra en el desierto del Sáhara. El río principal de Túnez es el Medjerda. El **clima** en la costa se caracteriza por los veranos calurosos y secos, y los inviernos cálidos, pero en el sur el clima es desértico. La agricultura es la base de la **economía**: vid, hortalizas, cereales y olivo (es el cuarto productor mundial de aceite de oliva). La pesca, la ganadería y el turismo son actividades complementarias. En Túnez se establecieron dos de las más importantes civilizaciones: los fenicios, que fundaron **Cartago**, y los **romanos**. En el siglo VII fue ocupado por los árabes, que impusieron la cultura musulmana; fueron despúes los turcos y finalmente los franceses los que se hicieron con el control del país hasta la **independencia** en 1956.

Tumba de Bourghiba, en Monastir. Allí está enterrado Habib Bourguiba, padre de la patria, junto a una impresionante mezquita.

Pescadores en Djerba. La variante submarina es un deporte muy popular en esta región y en todo el país.

Comercio en el oasis de Chebika.

Túnez

DATOS

- **Habitantes**
  9 728 000
- **Superficie**
  163 610 km²
- **Densidad**
  59 hab./km²
- **Capital**
  Túnez
- **Otras ciudades importantes**
  Djerba, Sfax
- **Sistema de gobierno**
  República presidencialista
- **Idioma**
  Árabe
- **Moneda**
  Dinar tunecino

Anfiteatro de El Jem. Es uno de los legados más importantes de la época romana. Tenía tres pisos y capacidad para 30 000 personas. Desgraciadamente fue saqueado durante mucho tiempo para utilizar sus ruinas como materiales de construcción, quizá debido a la leyenda que decía que quienes construyesen sus casas con ellas, alejarían a escorpiones y serpientes.

Viviendas trogloditas de Matmata. Esta región es muy famosa por sus viviendas excavadas en la tierra. Sus habitantes, en su mayoría bereberes, buscan de este modo temperaturas más agradables, escapando del calor. Hoy se ha convertido en una zona muy visitada, por lo que los matmatís han aprovechado esta circunstancia como fuente de ingresos: muestran sus casas y venden al turista su artesanía. En ellas se rodaron escenas de La guerra de las galaxias.

Mapa: Bizerta, Tabarka, Beja, Le Ket, Cordillera del Atlas, Río Medjerda, Kairouan, Cabo Bon, El Haouaria, Túnez, Nabeul, MAR MEDITERRÁNEO, Susa, TÚNEZ, Monastir, Mahdia, Kasserine, Sfax, Gafsa, Golfo de Gabes, Shatt al Jarid, Gabes, Djerba, Nefta, Jorf, Matmata, Zarzis, Ben Guerdane, Ras el-Jedir, Zaafrane, Desierto del Sáhara, Tataouine, ARGELIA, Remada, LIBIA, Borj el-Khadra, 0 163 km, 10°

turbina

Una turbina es una **hélice** de paletas curvadas, colocada dentro de un tambor, que se mueve gracias a la fuerza del agua que cae sobre ella. El tambor está fijo y se denomina **estator**; mientras que la hélice gira y se llama **rotor**. Las turbinas transforman la energía del agua en energía mecánica, utilizada para mover los distintos mecanismos a los que están conectadas. Las turbinas que se mueven mediante agua se denominan **turbinas hidráulicas**. Hay otras que se mueven utilizando gases, como en los motores de combustión interna, o vapor.

Las turbinas de gas se emplean en las centrales eléctricas y en la propulsión de buques y aviones, ya que la potencia proporcionada es muy alta.

Río Amudar'ja, uno de los más importantes del país. Ha sido muy explotado para el regadío, lo que ha contribuido mucho a la desecación del Mar Aral, en el cual desemboca.

El canal del Karakum desvía las aguas del río Amudar'ja hacia los sistemas de regadío de Murgab y Tedzhén, y riega los oasis de las regiones de Mary y Asjabad.

Turkmenistán

Turkmenistán es un país de Asia central. La mayor parte de su territorio está ocupado por el **desierto de Karakum**; el resto se reparte entre la cordillera Kopetdag y la costa sobre el **mar Caspio**. Los **ríos** Amudar'ja y Murghab riegan el país. El **clima** es continental, con temperaturas muy bajas en invierno y calurosas en verano. Se cultivan algodón y cereales, pero la principal fuente de riqueza es la explotación de petróleo y gas natural. El país fue ocupado por Rusia entre 1870 y 1874, y después formó parte de la URSS hasta la independencia en 1991.

Monumento en Asjabad, capital del país.

Turkmenistán

DATOS

- **Habitantes**
  4 794 000
- **Superficie**
  488 100 km²
- **Densidad**
  10 hab./km²
- **Capital**
  Asjabad
- **Otras ciudades importantes**
  Cardzou, Mary, Nebit-Dag
- **Sistema de gobierno**
  República presidencialista
- **Idioma**
  Turkmeno
- **Moneda**
  Manat

Camellos del desierto de Karakum.

Mapa:
MAR CASPIO
Golfo de Kara-Bogaz
Krasnovodsk
Kyzl-Kala
Chejenll
Tasauz
Dushkhouvuz
UZBEKISTÁN
Nebit-Dag
TURKMENISTÁN
Lebap
Darvaza
Kizyl-Arvat
Jerbent
Bachardock
Desierto de Karakum
40°
IRÁN
Firuza
Asjabad
Cardzou
Río Amudar'ja
Anav
Mary
321 km
Canal del Karakum
Kerki
Gaurdak
60°
Saraghs
Río Murgab
Cordillera Kopetdag
Taqtbazar
Kuska
AFGANISTÁN

Turquía

Turquía es un país que reparte su territorio entre Europa, en la **península de los Balcanes**, y Asia, en la meseta de **Anatolia**. La parte asiática cuenta con una meseta central rodeada de montañas, mientras que la parte europea tiene un relieve llano. Los ríos Tigris y Éufrates riegan el país. En el interior, el **clima** es caluroso en verano y muy frío en invierno, pero en la costa es más suave. En Turquía hay cultivos de algodón, hortalizas, cereales, cítricos y olivos. La industria, sobre todo siderúrgica, mecánica, de alimentos y textil, está bastante desarrollada. Por su situación geográfica, Turquía ha sido siempre un punto estratégico muy valioso. Por aquí pasaron los hititas, los **persas** (🔎 Babilonia), los griegos, los romanos, que fundaron **Constantinopla** en la actual Estambul, y los musulmanes, que impusieron su religión y su lengua. En el siglo XV, fue centro del **imperio turco otomano**, que se disolvió en 1920. Turquía se convirtió en república en 1923.

Ruinas en Éfeso. Androclo, hijo de Codros, rey de Atenas, fue el fundador de Éfeso según cuenta la leyenda oficial de la ciudad. Es la ciudad antigua más importante de Turquía y una de las mejor conservadas de la antigüedad. Además fue centro de la religión cristiana en sus comienzos, en ella predicó San Pablo, murió San Juan y, según cuenta la tradición, vivió sus últimos años la Virgen María, de la que en la actualidad puede visitarse su casa, convertida en iglesia.

La *Biblioteca de Celsus* en Éfeso, auténtica joya de la ciudad, fue construida en el año 110. A ella se llega a través de una avenida de mármol. Su fachada de dos pisos actualmente está reconstruida y en ella existían nichos y estatuas.

Pamukkale, también llamado "Castillo de Algodón" por sus cascadas calcáreas blancas. Cerca se encuentran las ruinas de Hierapolis.

En la ciudad de Estamb[ul] existen infinidad de bazares. El m[ás] conocido internacionalmente es el Gr[an] Bazar, que reúne miles de tiendas q[ue] forman un auténtico laberinto. El nom[bre] de sus calles responde a los artíc[u]los que se venden en las tiend[as.]

La **mezquita Azul** en Estambul, la ciudad más grande de Turquía. Es la antigua Constantinopla, fundada en el año 324 por Constantino. El estrecho del Bósforo atraviesa la ciudad y separa la Turquía europea de la asiática.

Los productos de la **agricultura** turca se distribuyen según las zonas agroclimáticas: cereales (trigo, cebada, centeno, avena, arroz y maíz), remolacha azucarera, sésamo, girasol, cáñamo, adormidera (opio) y rosas en Anatolia; frutales en los valles de la zona montañosa de Armenia; avellano, maíz, té y tabaco en la vertiente del mar Negro; cultivos mediterráneos (vid, olivo, agrios, almendros, higos) en el litoral del Egeo, que se prolongan por la costa sur, más cálida, permitiendo el desarrollo de cultivos subtropicales (algodón).

Ejemplo de la **arquitectura seljuk**, en Selcuk. Pueblos como Tokat y Sivas presentan numerosas muestras de este estilo arquitectónico. Las obras maestras de la arquitectura turca se gestaron durante los períodos Seljuk y otomano, incluyendo las mezquitas de Selimiye y Suleymaniye.

El Bazar Egipcio, o bazar de las Especias, es muy famoso porque en él se pueden encontrar las mejores especias de Estambul y de Turquía.

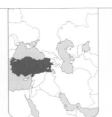

Turquía

- **Habitantes**
  70 318 000
- **Superficie**
  780 576 km²
- **Densidad**
  90 hab./km²
- **Capital**
  Ankara
- **Otras ciudades importantes**
  Estambul, Esmirna
- **Sistema de gobierno**
  República presidencialista
- **Idioma**
  Turco
- **Moneda**
  Lira turca

Tutankamón

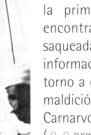

Tutankamón [¿-1339 a. C] fue un **faraón egipcio** que pertenecía a la XVIII dinastía (☞ faraón y Egipto antiguo). Bajo su reinado se restableció el culto al dios Amón-Ra (☞ mitología egipcia) en sustitución de Atón. Se casó a los diez años y murió cuando tenía 19. Su tumba, en el Valle de los Reyes, fue encontrada con todos sus tesoros en 1922 por el arqueólogo británico **Howard Carter** y el promotor de la expedición **Lord Carnarvon**. Es la primera tumba encontrada que no había sido saqueada, por lo que aportó valiosa información sobre esta época. En torno a este hallazgo se habla de la maldición de Tutankamón, pues Lord Carnarvon murió a los pocos días (☞ arqueología).

Howard Carter en la tumba de Tutankamón en 1923.

Saluki

El emperador Tutankamón poseía varios salukis, raza de perros de la familia de los lebreles, y esta es la razón por la que se encuentran muchas imágenes de ellos en objetos hallados en su tumba. A esta raza doméstica se la considera una de las más antiguas.

Tuvalú

Tuvalú es un país de Oceanía. Es un grupo de islas, antes llamadas **islas Ellice**, situadas en el Pacífico. La isla más grande es la de Funafuti, donde se encuentra la capital, Fongafale. Su **clima** es cálido todo el año y las lluvias son frecuentes. La **economía** se basa en el cultivo de palma de coco y la ganadería. Fueron descubiertas en 1568 y estuvieron bajo protección británica hasta 1978, año de su **independencia**.

DATOS

Tuvalú

Habitantes
10 000

Superficie
26 km²

Densidad
385 hab./km²

Capital
Fongafale

Sistema de gobierno
Monarquía constitucional

Idioma
Tuvalvano e inglés

Moneda
Dólar australiano

Sus habitantes son, en su mayor parte, polinesios y viven de la pesca y de la agricultura prácticamente artesanas, además de algunas exportaciones de copra (⟳ Kiribati), el único producto exportado; los demás productos se destinan al consumo interior. El coco y el plátano son dos de los productos más comercializados.

El origen fundamentalmente coralino (⟳ coral) de este archipiélago ha condicionado el relieve de todas las islas que lo componen. Está formado por nueve atolones coralinos: Funafuti (donde se localiza la capital), Nanumea, Vaitupu, Niutao, Niulakita, Nukulaelae, Nanumanga, Nui, Nukufetau. Tuvalú se encuentra en la lista de los países de menor extensión del mundo, con únicamente 26 km², y con 24 km de costas.

Tyson, Mike

Mike Tyson [n. 1966] es un **boxeador estadounidense**. Ganó el campeonato de los pesos pesados del *National Golden Globe* en 1984. Al año siguiente se hizo profesional. Es un golpeador letal y ha batido por KO a 15 de sus rivales en el primer asalto. En 1986 se convirtió en el campeón profesional de los pesos pesados más joven de la historia, con sólo 20 años. En 1992 fue encarcelado y, tras salir de prisión, Mike Tyson volvió al ring y protagonizó uno de los combates más tristemente famosos de la historia, en el que mordió a Evander Holyfield en la oreja.

Ucrania

Ucrania es un país del este de Europa. El relieve de Ucrania está conformado por una extensa llanura, limitada al oeste por la cordillera de los Cárpatos. Los ríos más importantes son el Dniéper y el Dniéster. El **clima** es continental, es decir, veranos cálidos e inviernos fríos. La llanura ucraniana es muy fértil, por lo que se dan cultivos de trigo, remolacha, lino, patatas, etc. Además, hay yacimientos de carbón y hierro, e industria metalúrgica y siderúrgica. Ucrania estuvo bajo dominio de Polonia, Lituania y despúes Rusia. A mediados del siglo XIX surgieron movimientos nacionalistas y en 1922 se convirtió en una de las repúblicas que formaban la Unión Soviética. Se independizó en 1991 y forma parte de la CEI.

Monasterio de las grutas, Kiev.
Data del siglo XI y debe su nombre a la existencia de una serie de grutas en las que descansaban los monjes y en las que se depositaban sus cuerpos, una vez muertos, para que se momificasen por sí solos, dadas las condiciones de temperatura y humedad de las mismas. En ellas se construyeron también iglesias subterráneas. El monasterio está rodeado de murallas y en cada una de sus esquinas hay una torre.

Chernobil es una ciudad ucraniana, lamentablemente famosa por su central nuclear (☞ energia nuclear). En 1986 se produjo una explosión y el escape de grandes cantidades de material radiactivo causó cientos de muertos y sus consecuencias sobre la salud humana se han seguido manifestando a lo largo de los años. En el año 2000 se produjo el cierre definitivo de la central.

Río Dniépper a su paso por Kiev.

Las matrioskas, especie de muñecas-estuche que se guardan unas dentro de otras, según su tamaño, son el típico y tradicional recuerdo. La leyenda dice que representa a la madre que protege el hogar, cuida, esconde y lleva a todos dentro de sí.

Pabellón del **Parque Central de la ciudad de La Cultura y Descanso.** Las afueras de la ciudad de Kiev están rodeadas por preciosos parques, todos los cuales se encuentran unidos con este parque central.

Mujer tocando la **bandura,** instrumento tradicional de Ucrania. Se toca con una púa, su mástil es corto y el cuerpo, plano. Para tocarlo se sujeta de forma vertical.

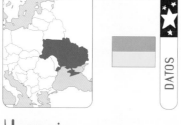

Paisaje rural ucraniano.

Ucrania

Habitantes
48 902 000

Superficie
603 700 km²

Densidad
81 hab./km²

Capital
Kiev

Otras ciudades importantes
Járkov, Odessa

Sistema de gobierno
República presidencialista

Idioma
Ucraniano (oficial), ruso

Moneda
Hrivna

DATOS

Uganda

Uganda es un país del este de África.

El café es uno de los productos cultivados en este país.

Extensas mesetas ocupan gran parte de su territorio y en el oeste se alza el macizo Ruwenzori. Aunque no tiene salida al mar, cuenta con importantes **lagos** como el Alberto, el Eduardo y parte del lago Victoria; su río principal es el Nilo. En Uganda se cultiva café, algodón y caña de azúcar. Además, hay yacimientos de cobre y wolframio, e industria textil y alimentaria. Uganda fue protectorado británico hasta 1962, año de la **independencia**. El país tuvo que sufrir la dictadura de Idi Amin, hasta que éste fue derrocado en 1979.

Templo de la religión Baal en **Kampala.** Más o menos, la mitad de la población es cristiana, y un tercio practica cultos tradicionales africanos, aunque también hay una minoría islámica.

REPÚBLICA DEMOCRÁTICA DEL CONGO

Fort Portaí
30°
Ruwenzori 5109
Mu.
Kasese
Ecu
Lago Eduardo
Mbarara
Río Kagera
Kabale
TA
RUANDA

Cataratas Murchison, Parque nacional Kabalega. Estas cataratas tienen una caída de 43 metros. En las orillas del río Nilo se pueden encontrar diversas especies animales, como cocodrilos, hipopótamos y una gran variedad de aves.

*El **Valle del Gran Rift** , también llamado Valle de la Gran Depresión, Valle de la Gran Grieta o Valle de la Gran Falla Geológica, es una depresión de la corteza terrestre que se extiende del Mar Rojo hasta Zimbabwe, y es una de las maravillas naturales más impresionantes. Esta depresión cruza el país de sur a norte.*

*La ciudad de **Kampala** es la capital de Uganda desde que logró su independencia en 1962. Se asienta sobre varias colinas, dos de las cuales están ocupadas por la catedral, el hospital y escuelas de las iglesias católica y protestante. En el resto se sitúan la universidad y la mezquita mayor.*

El uso del tren como medio de transporte para desplazarse en Uganda es una buen alternativa a otros medios, aunque hay que tener paciencia. Los autobuses conectan los pueblos más importantes y en la mayor parte de los pueblos y ciudades existen estaciones o paradas para ellos.

Río Nilo, Parque nacional Kabalega. Descubrir el nacimiento de este río ya era una preocupación hasta para el propio emperador romano Nerón, que mandó una expedición a la región de lo que hoy es el territorio que ocupa Sudán. En el siglo XIX el interés por esta preocupacion crece y la Real Sociedad Geográfica de Londres financia grandes expediciones con este fin: así, Mungo Park llega en 1796 al Níger y la ciudad sagrada de Tombuctú, Livingstone descubre el río Zambeze y James Bruce, a finales del XVIII, descubre el Nilo Azul.

CURIOSIDADES

El Nilo

E l Nilo nace en las orillas septentrionales del lago Victoria. De aquí parte y recorre más de 6 000 kilómetros hasta llegar al mar Mediterráneo. En su trayecto se divide en varios brazos y afluentes: Nilo Blanco, Nilo Azul, Nilo Negro, etc. A su paso por Uganda los más importantes son el Victoria y el Alberto.

DATOS

Uganda

Habitantes
25 004 000

Superficie
236 040 km²

Densidad
106 hab./km²

Capital
Kampala

Otras ciudades importantes
Jinja, Mbale

Sistema de gobierno
República presidencialista

Idioma
Inglés (oficial), luganda o ganda

Moneda
Chelín de Uganda

Ulises

Ulises es el nombre latino del héroe griego **Odiseo**. Participó en la guerra de Troya, donde demostró gran astucia. Tras la guerra tardó diez años en volver a su casa, pues los dioses le castigaron a vagar por el Mediterráneo. En esos años, tuvo que enfrentarse a Polifemo, un gigante con un solo ojo. Su esposa **Penélope** durante este tiempo tuvo muchos pretendientes y había accedido a casarse con el que fuera capaz de atravesar doce anillos con una flecha. Ulises, disfrazado, lo consiguió y mató a los demás pretendientes. Sus hazañas se recogen el *La Odisea* de Homero.

Cerámica griega con representación de tareas domésticas (dos mujeres tejiendo). Durante el tiempo que Ulises estuvo fuera de Ítaca, su esposa Penélope recibió muchas peticiones de sus pretendientes para ocupar el lugar de aquel, pero ella los convenció diciendo que elegiría al sucesor cuando terminase de tejer un telar para el sudario de su suegro. Durante el día tejía, pero al llegar la noche lo deshacía, para así ganar tiempo.

Unamuno, M. de

Miguel de Unamuno [1864-1936] fue un **escritor español**, representante de la llamada **generación del 98** (⇝ Baroja). Estudió en Madrid y fue catedrático en la Universidad de Salamanca, donde también ocupó el cargo de rector. Por sus ideas políticas fue desterrado a Fuerteventura, de donde se fugó a Francia. Regresó a España en 1930. Escribió novela, poesía, teatro y ensayos filosóficos. En todas ellas se aprecia su angustia, provocada por sus dudas religiosas, su ansia de inmortalidad, la situación de su país, etc.

Entre sus **novelas** destacan: *Paz en la guerra* (1897), *Amor y pedagogía* (1902), *Niebla* (1914), *La tía Tula* (1921), *San Manuel Bueno Mártir* (1930), etc. Sus **poesías** se recogen en *El Cristo de Velázquez* (1920), *Cancionero* (1953), etc. Para el **teatro** escribió *El hermano Juan* (1934), *Fedra* (1910), *Medea* (1933), etc. En sus **ensayos** presenta datos sobre su vida: *En torno al casticismo* (1895), *Del sentimiento trágico de la vida* (1913), *La agonía del cristianismo* (1931), etc.

Manuscrito autobiográfico de Unamuno.

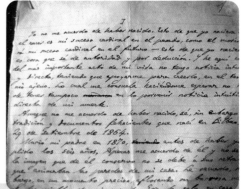

La Familia de Unamuno: madre, hermana, esposa e hijos.

Siempre existió una fuerte vinculación entre el estudioso y la ciudad de Salamanca y su Universidad. En los años 50 la casa rectoral se convierte en la Casa-Museo de Unamuno, en la que se conserva el mobiliario que usó y objetos personales de la familia. En ella destacan los archivos personales y la biblioteca del pensador.

Exterior de la casa donde vivió y murió Unamuno, e interior de la Casa-Museo, Salamanca.

Unión Europea

N ombre que recibe la agrupación de varios países europeos desde noviembre de 1993. Inicialmente recibió el nombre de Comunidad Económica Europea (CEE). La CEE nació en 1957 en Bruselas. Estaba formada por los países que componían el Benelux (Bélgica, Holanda y Luxemburgo) y los países que integraban la CECA (Comunidad Europea del Algodón y el Acero), los tres citados más Francia, Italia y la República Federal Alemana. Su objetivo era crear un mercado único en Europa, con la libre circulación de mercancías y capital. Progresivamente se van uniendo más países: Gran Bretaña, Dinamarca, Irlanda (1973), Grecia (1981), España y Portugal (1986), Austria, Finlandia y Suecia (1995). En 2004 tuvo lugar la mayor ampliación de su historia al admitir a 10 nuevos países: Chipre, Eslovaquia, Eslovenia, Estonia, Hungría, Letonia, Lituania, Malta, Polonia y República Checa. El **Tratado de Maastricht**, en 1993, sienta las bases de la Unión Europea (UE) y fija los objetivos: un mercado único, sin aranceles y con libertad de movimiento para personas y mercancías, una moneda única, el **euro**, y pautas comunes en materia de defensa y política exterior. Los principales órganos institucionales son el **Consejo de la Unión Europea**, máximo órgano político, cuya presidencia se ejerce en turnos rotatorios cada seis meses; el **Consejo de Ministros**, la **Comisión de las Co munidades Europeas** y el **Parlamento Europeo**.

Turquía, Bulgaria o Rumanía son algunos de los posibles futuros miembros de la UE. La ampliación de mayo de 2004 convirtió a la UE en una de las grandes potencias económicas mundiales.

Requisitos básicos de adhesión

*Hay tres requisitos básicos de adhesión, definidos en la **Cumbre de Copenhague** de junio de 1993, que son: a) poseer unas instituciones estables que garanticen la democracia, el Estado de Derecho, los derechos humanos y el respeto y la protección de las minorías; b) tener una economía de mercado operativa, capaz de soportar la presión de la competencia y las fuerzas de mercado en la Unión; c) asumir las obligaciones derivadas de la adhesión, así como los objetivos políticos, económicos y monetarios de la Unión.*

Instituciones básicas de la Unión Europea

Parlamento

Composición: Elegidos por sufragio universal directo cada cinco años y en cada Estado miembro, en número proporcional a los habitantes del mismo y al producto interior bruto.

Funciones: Tiene competencia en materias normativas, de control político y en materias presupuestarias.

Consejo de ministros

Composición: Un representante de cada Estado miembro que tenga rango de ministro, en el área correspondiente con los asuntos a tratar, y capacidad para comprometer a su gobierno en las decisiones adoptadas. La presidencia es rotativa, por orden alfabético y dura seis meses.

Funciones: Es el órgano legislativo propiamente dicho, elabora normas de obligado cumplimiento en toda la Unión Europea.

Consejo Europeo

Composición: Jefes de Estado y de Gobierno de los respectivos Estados miembros y Presidente de la Comisión; les asisten los ministros de Asuntos Exteriores y un miembro de la Comisión. Preside el Jefe del Estado o de Gobierno al que le corresponda presidir el Consejo de Ministros.

Funciones: Define orientaciones políticas generales de la Unión Europea. Puede tomar acuerdos concretos en cuestiones concretas. Debe elevar un informe de cada reunión y otro anual al Parlamento. Se reúne dos veces al año, pero puede convocar reuniones extraordinarias.

Tribunal de Justicia

Composición: Jueces, abogados y profesionales del derecho, altamente cualificados, nombrados de común acuerdo por los Estados miembros, para seis años.

Funciones: Garantiza el respeto del derecho en la aplicación y ejecución de los tratados y pone sanciones en caso de incumplimiento. Vela por la efectividad de los derechos humanos en la Unión Europea.

Comisión

Composición: La forman miembros llamados comisarios, propuestos por cada Estado (uno o dos, según casos) en atención a su competencia e independencia. Su mandato dura cinco años. Se reúne siempre que es necesario.

Funciones: Órgano ejecutor de las decisiones del Consejo y del Parlamento. Está facultada para dictar reglamentos con ese fin. Presenta proyectos de ley al Consejo de ministros y formula recomendaciones o realiza estudios sobre diversas materias para asesorar al Consejo.

Etapas de la Construcción de la Unión Europea

1957: *creación de la Comunidad por Alemania, Bélgica, Francia, Italia, Luxemburgo y Países Bajos.*

1973: *adhesión de Dinamarca, Irlanda y Reino Unido.*

1981: *adhesión de Grecia.*

1986: *adhesión de España y Portugal.*

1991: *incorporación de la ex-Rep. Dem. de Alemania tras la reunificación alemana.*

2004: *adhesión de Chipre, Eslovaquia, Eslovenia, Estonia, Hungría, Letonia, Lituania, Malta, Polonia y Rep. Checa.*

Unión Soviética

Unión Soviética es el nombre que recibió la unión de los países que pertenecían a Rusia tras la revolución. Durante el siglo XIX, la política de los zares que gobernaron Rusia no era del agrado de gran parte de la población, en su mayoría campesina. En febrero de 1917, se produjeron revueltas en las calles y el zar tuvo que renunciar; en octubre, Lenin dirigió una ofensiva y el partido bolchevique se hizo con el poder. En 1922 el país tomó el nombre de **Unión de Repúblicas Socialistas Soviéticas**. A su muerte, Lenin fue sustituido por Stalin, que aceleró el crecimiento del país, pero recurriendo a menudo a la violencia. En 1941, la URSS fue invadida por Alemania, pero ésta salió derrotada a la vez que la URSS reforzó sus posiciones y se convirtió en una gran potencia mundial, aunque con serios problemas internos. En 1985 subió al poder Gorbachov, que inició un proceso de apertura económica conocido como **perestroika**. En 1991 se produjo un intento de golpe de estado dirigido por **Boris Yeltsin**, que trajo como consecuencia la independencia de las repúblicas y la creación de la **Comunidad de Estados Independientes** (⌒ CEI). Fue el fin de la URSS.

Revolución rusa.

Mijail Gorbachov. Fue el punto de arranque de la Perestroika.

En política exterior firmó con Reagan en Washington, el primer Tratado de Desarme Nuclear.

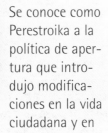

Perestroika

GLOSARIO

Se conoce como Perestroika a la política de apertura que introdujo modificaciones en la vida ciudadana y en la economía de la URSS, así como en sus relaciones con otros países.

universidad

Una universidad es un **centro de enseñanza superior** al que acuden los jóvenes, tras terminar la enseñanza secundaria, para adquirir los conocimientos correspondientes a la carrera universitaria que desean realizar (medicina, biología, telecomunicaciones, filología, historia, etc.) y obtener un título académico. Una **carrera universitaria** superior dura una media de cuatro o cinco años y, después de superar todas las asignaturas, los estudiantes obtienen el título de **licenciado**. Las universidades están organizadas en **facultades**, que son distintos centros en los que se desarrollan las actividades de una o varias carreras. Así, dentro de una misma universidad, podemos encontrar la facultad de Medicina, la facultad de Derecho, la de Biología, etc. Aunque las universidades, como tales, no empezaron a desarrollarse hasta la Edad Media, ya en la antigüedad existían centros de enseñanza superior, como las academias griegas o la biblioteca de Alejandría.

Sello de la Universidad de París. La primera universidad data del año 1150 en París.

*La **Universidad de la Sorbona** (siglo XIII) es la principal de la ciudad, y actualmente alberga las universidades de París III y París IV. Cuenta con la Biblioteca Nacional, 56 bibliotecas municipales e instituciones de prestigio internacional como el Instituto Pasteur o el Collège de France.*

Alfonso IX, en la primera mitad del siglo XIII, fundó la universidad, que dio a Salamanca un prestigio extraordinario a lo largo de la Edad Media y en las siguientes épocas, acudiendo a sus aulas gentes de toda Europa. Puede decirse que fue en torno a la universidad como nació Salamanca, que pronto se convirtió en foco comercial y ciudad residencial de la nobleza, lo que ayudó a reunir el abundante y rico conjunto monumental que hoy presenta la ciudad.

La escolástica

La escolástica era una forma de pensamiento que surgió en la Edad Media. Consistía en aplicar la razón a las verdades cristianas. Es decir, la fe no consiste en decir sí a todo sin intentar entenderlo. Hay que reflexionar y pensar. Mediante este sistema se evitaban muchos miedos y supersticiones. Uno de sus máximos representantes fue **Santo Tomás de Aquino** que con su obra *Suma Teológica* elaboró una síntesis de todas las creencias buscando una armonía entre fe y razón.

Desarrollo de las Universidades en Europa en los siglos XII y XIII

A diferencia de lo que ocurre en la actualidad, el curso universitario en la Edad Media estaba demasiado cargado y era demasiado largo. El estudiante, salvo si era monje, pasaba en primer lugar por la facultad de artes donde aprendía filosofía, lógica y disciplinas científicas. Tras 5 ó 6 años de estudio, una vez maestro en artes, podía acceder a las facultades superiores (derecho, medicina, teología) o enseñar en la facultad de artes. Para llegar al doctorado en teología, se necesitaban aún por lo menos quince años, durante los cuales enseñaba al mismo tiempo que estudiaba.

Las universidades florecieron por toda Europa, creando una unidad cultural. Todo aquél que estudiaba en una de estas universidades se considera europeo.

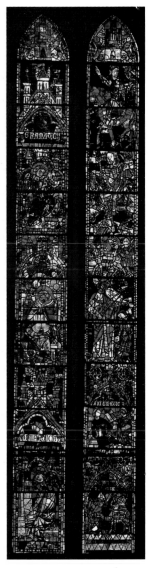

Vidriera de la Catedral de León con la representación de la materias del Quadrivium.

La aparición de las primeras universidades

L as primeras Universidades nacieron como centros de estudios vinculados a las ciudades y vinieron a sustituir a las anteriores escuelas localizadas en los monasterios. Si bien al principio el tipo de disciplinas que se podía estudiar en ellas era semejante al que se cursaba en las escuelas monacales, pronto comenzaron a incorporar otras especialidades como derecho, medicina, etc. En ellas se formaron principalmente hijos de burgueses que, más tarde, ejercían cargos en las incipientes administraciones de los estados modernos. Los planes de estudio de las escuelas monacales y catedralicias y los de las universidades eran diferentes, como puedes ver:

Escuelas monacales y catedralicias

Instruían a sus propios monjes y sacerdotes aunque también admitían como alumnos a los hijos de las familias de su entorno.

– Utilizan el método escolástico.

– La lengua empleada era el latín.

– El profesorado estaba integrado por los propios monjes y el clero.

Estudios generales o universidades

Comunidad de maestros y discípulos, con una organización autónoma para enseñar y aprender. Aparecen en el siglo XIII. Se sitúan bajo la protección del papa o del rey. Los estudios que se realizaban en ellas eran: Filosofía, Teología, Derecho, Medicina, Artes liberales (*Trivium* y *Cuadrivium*).

– Emplean el método escolástico.

– La lengua utilizada era el latín.

– El profesorado accede por oposición en la que los alumnos intervienen con sus votos.

Siglos XI y XII	
TRIVIUM	**QUADRIVIUM**
Gramática Retórica Lógica	Aritmética Geometría Astronomía Música

Universo

El universo es el conjunto de la materia y de la energía que existe. Se estima que el universo conocido contiene unos 100 000 millones de galaxias, agrupadas en **supercúmulos** y separadas por enormes espacios vacíos. Dentro del estudio del origen del universo la teoría más comúnmente aceptada se basa en la existencia de una enorme explosión primigenia (el Big Bang) hace aproximadamente de 10 000 a 15 000 millones de años. Toda la materia y la energía estaban concentradas en un punto minúsculo de infinita densidad que hizo explosión liberándolas. Transcurridos 1 000 millones de años desde el Big Bang se habrían desarrollado las primeras galaxias y a los 3 000 millones de años aparecieron las primeras estrellas.

A partir de esta situación el Universo comienza a expandirse y es aquí donde entran en juego las teorías sobre su futuro y evolución. Partiendo del hecho de que las regiones vacías del universo pueden estar llenas de materia oscura, de naturaleza aún desconocida, éste no se expandiría indefinidamente sino que llegaría a un punto en que la atracción sobre las galaxias, debida a esa materia oscura, empiece a dominar y el Universo comience a contraerse hasta llegar a un estado de infinita concentración (**Big Crunch**). A partir de dicho estado el proceso podría volver a repetirse indefinidamente con un nuevo Big Bang o morir definitivamente. Otra teoría parte de una etapa de eterna expansión hasta el punto de que sin materia oscura las galaxias acabarían por convertirse en enormes agujeros negros y finalmente estos acabarían por evaporarse, convertidos en partículas subatómicas.

Modelo tolemaico: «La Tierra se encuentra en el centro del Universo y a su alrededor giran el Sol, la Luna y los planetas, en el orden: Luna, Mercurio, Venus, el Sol, Marte, Júpiter y Saturno».

Teorías y teóricos

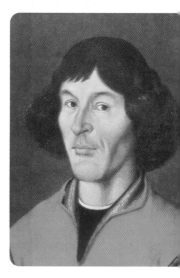

Nicolás Copérnico, astrónomo polaco, publicó en 1543 (año de su muerte) una obra transcendental: De revolutionibus orbium coelestium, en la que sostenía que el Sol ocupaba el lugar central del Universo (modelo heliocéntrico; en realidad, para dar respuesta a la desigual duración de las estaciones, situó el centro del Universo en el centro de la órbita terrestre, quedando el Sol algo desplazado del mismo); y la Tierra, lo mismo que los demás planetas, se movía a su alrededor. El libro de Copérnico sirvió de revulsivo intelectual y significó el comienzo de la llamada revolución científica.

Modelo heliocéntrico copernicano: «El Sol ocupa un lugar central en el Universo».

El primer modelo heliocéntrico data de alrededor del año 250 a. de C., cuando Aristarco de Samos construyó un modelo de sistema planetario heliocéntrico, con la Tierra y los demás planetas girando en órbitas alrededor del Sol.

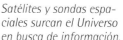

Satélites y sondas espaciales surcan el Universo en busca de información.

Galileo Galilei. Debido a su carácter comba-
tivo y sarcástico, Galileo se granjeó
numerosos enemigos, que persuadieron
al Papa para que declarase herética la
teoría copernicana que Galileo defen-
día. Por este motivo fue llevado ante
la Inquisición, donde prefirió renunciar a sus ideas. Corría el año 1633.
El 31 de octubre de 1992 (360 años
más tarde), el papa Juan Pablo II
rehabilitó a Galileo "pidiendo perdón"
por su injusta condena, aunque a la
vez disculpa a los jueces que creyeron
erróneamente que la adopción de la
revolución copernicana iba contra la tradición católica. Galileo murió a los 78 años, el
día 8 de enero de 1642, el mismo año en que
nació Isaac Newton, el primero que explicó el movimiento de
los astros,
estableciendo
su famosa
"ley de la
gravitación
universal".

Johannes Kepler, astrónomo alemán, nació en Weil der Stadt,
Württemberg (1571) y murió en
Ratisbona, Baviera (1630).
Utilizando los datos observacio-
nales de su maestro Tycho Brahe,
estableció un sistema heliocéntrico (prácticamente es el que se
utiliza en la actualidad) en el que
los planetas describen órbitas
elípticas en torno al Sol, y logró
enunciar de forma empírica tres
leyes, conocidas hoy día con su nombre, y que describen con
bastante exactitud el movimiento de los planetas.

Los modernos radiotelescopios son fundamentales en la investigación de los agujeros
negros.

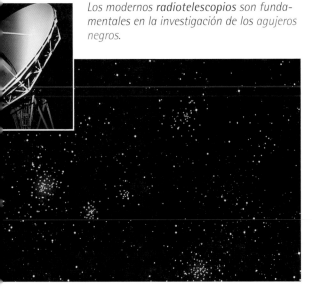

Algunos hitos en la historia de la exploración espacial

1957: El 4 de octubre, Rusia pone en órbita el primer satélite artificial, el Sputnik 1; y el 3 de noviembre el Sputnik 2, con la perra Laika como tripulante.

1958: El 31 de enero EE UU lanza su primer satélite, el Explorer 1.

1959: Rusia lanza las sondas Lunik (1, 2 y 3) con destino a la Luna.

1960: EE UU lanza el Tiros 1, primer satélite meteorológico.

1961: El 12 de abril, el cosmonauta ruso Yuri Gagarin (primer hombre en el espacio) describe una órbita en el Vostok 1.

1962: El norteamericano John Glenn describe tres órbitas en el Friendship 7. El Ranger 4 alcanza la Luna. Se lanza el Telstar 1, primer satélite comercial de comunicaciones.

1963: Primera mujer en el espacio: la cosmonauta soviética Valentina Tereshkova.

1965: Alexei Leonov realiza el primer paseo por el espacio.

1966: El Luna 9 ruso y el Surveyor 1 norteamericano aterrizan en la Luna.

1968: El Apolo 8, con tres tripulantes (F. Borman, J. Lowell y W. Anders), describe 10 órbitas en torno a la Luna.

1969: En julio, el Apolo 11 deposita el módulo lunar y el astronauta Neil Armstrong se convierte en el primer hombre que pisa la Luna. En noviembre, el Apolo 12 realiza el segundo alunizaje.

1970: La nave rusa Luna 17, se posa en la Luna; de ella sale el Lunokhod 1, un vehículo de 8 ruedas, el primero en rodar por nuestro satélite. El 15 de diciembre, la sonda rusa Venera 7 aterriza en Venus.

1971: La sonda norteamericana Mariner 9, se convierte en el primer satélite artificial de Marte.

1972: EE UU lanza el Pioner 10 en la 21 misión a Júpiter.

1975: El Soyuz 19 ruso y el Apolo 18 norteamericano, se acoplan en vuelo. Aterrizan en Venus las sondas rusas Venera 9 y 10.

1977: EE UU lanza dos naves Voyager hacia Júpiter y Saturno.

1980: El Voyager 1 pasa ante Saturno y envía datos acerca de sus anillos.

1983: EE UU lanza el transbordador Challenger.

1984: Tres cosmonautas soviéticos baten el récord de permanencia en el espacio (casi nueve meses en órbita).

1986: El Voyager 2 envía fotografías de los satélites de Urano. Rusia lanza la estación espacial Mir.

1990: Japón envía a la Luna su primera nave espacial. El Voyager 2 fotografía Neptuno y sus satélites. El Magellan toma las primeras imágenes de radar de la superficie de Venus.

1998: Representantes de 15 países firman los acuerdos para la construcción de la estación espacial Alpha.

1999: La Nasa envía dos sondas a Marte, la Mars Climate Orbiter y la Polar Lander, cuyas misiones fracasan.

2001: La estación espacial MIR es destruida y sus restos caen al Pacífico. Despega hacia Marte la nave Mars Odyssey. Llega el primer turista espacial a la estación internacional Alpha.

2003: El 1 de febrero de 2003 el transbordador Columbia se desintegró durante el proceso de reentrada en la atmósfera terrestre cuando retornaba de una misión con 7 tripulantes.

2005 El 26 de julio el transbordador espacial Discovery despega de Cabo Cañaveral con destino a la Estación Espacial Internacional. El principal objetivo de la misión es poner a prueba las nuevas medidas de seguridad introducidas en los transbordadores por los técnicos de la NASA.

Urano

Urano es el séptimo planeta del Sistema Solar en distancia al Sol, del que le separan 2 896,6 millones de km. Su atmósfera está formada principalmente por hidrógeno, helio y metano. Se encuentra rodeado por varios **anillos** y se han descubierto 15 satélites girando a su alrededor. En este planeta, un día dura 10 h y 45 m, y un año equivale a 84 años en la Tierra. Urano fue descubierto en 1781 por **G. Herschel**.

Nave espacial nuclear sobre Urano.

*El **tráfico** de las ciudades se ha convertido en uno de los mayores problemas que afectan al normal desarrollo de la vida diaria. Es importante concienciar a los ciudadanos de la importancia del uso de los **transportes públicos** para evitar unos índices de contaminación cada vez más elevados.*

*En la actualidad las ciudades cuentan, cada vez más, con un **mobiliario urbano** muy completo: bancos, fuentes, papeleras, aparcamientos para bicicletas, mesas, jardineras, farolas, elementos de parques infantiles (columpios, trepadores, casetas), kioscos de prensa, servicios públicos (WC), cabinas telefónicas, marquesinas, pequeñas oficinas de información, etc.*

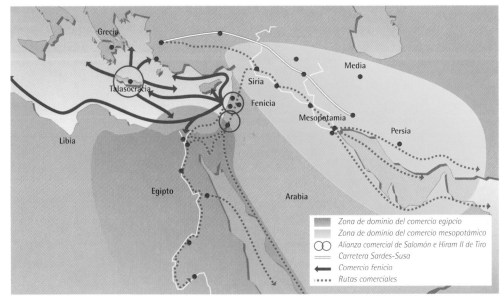

*La ocupación del suelo en las zonas turísticas ha llevado a una sobreexplotación del terreno, con la construcción de enormes **urbanizaciones**. Esto hace que se especule con el terreno y que éste alcance precios muy elevados.*

Urbanismo

El urbanismo es el conjunto de los conocimientos referentes al desarrollo y progreso de las **ciudades** en función de las necesidades materiales de la vida humana. Los principales problemas que el urbanismo se cuestiona a principios del siglo XXI son la concentración urbana, la expansión demográfica y el aumento considerable del uso del automóvil.

Zona que vio nacer las primeras civilizaciones urbanas de la cultura occidental. El este del Mediterráneo adquirió un protagonismo que acompañaría a la historia de este mar hasta nuestros días. El desarrollo de las rutas y zonas comerciales fue un elemento de vital importancia.

Zona de dominio del comercio egipcio
Zona de dominio del comercio mesopotámico
Alianza comercial de Salomón e Hiram II de Tiro
Carretera Sardes-Susa
Comercio fenicio
Rutas comerciales

La ciudad a lo largo de la historia

Grecia y Roma

Planos de Roma y de Atenas. Las ciudades griegas y romanas seguían un esquema geométrico que se hizo más patente en la época helenística, donde aparece más claramente un urbanismo organizado. En su centro existía una gran plaza que era el foro o lugar de reunión. Además contaban con numerosos templos, monumentos grandiosos y estaban equipadas con sistemas de suministro de aguas, desagüe y alcantarillado. Otro importante espacio eran los lugares de ocio que iban desde teatros a circos, anfiteatros, termas, etc.

Edad Moderna

Ciudad renacentista.

Interior de una vivienda en el Renacimiento.

Plano de Lima en el s. XVIII.

Las ciudades de la Edad Moderna cada vez se van haciendo más populosas y activas. Cuentan con mayor independencia y autoridades propias. Los autores racionalistas diseñan ciudades ideales que no llegan a ponerse en práctica. Los monarcas y emperadores construyen residencias de gran lujo y extensión: Versalles, Palacio Real de Madrid, palacios italianos y franceses, etc. Sin embargo la estructura y organización se mantienen básicamente como en la Edad Media. En el s. XVIII, en la Ilustración, comienza una revolución urbana que introducirá importantes cambios, modernizará las ciudades y las hará más habitables y atractivas.

Edad Media

Plano de Florencia y casa de burgueses medievales. En la Edad Media las ciudades se fortifican con murallas, algunas reaprovechadas de época romana. La activación de nuevas rutas comerciales hace crecer a muchas urbes costeras. Las ferias y mercados que atraen a numerosos comerciantes y la creación de gremios de artesanos también ayudan al desarrollo de las ciudades.

Edad Contemporánea

Barrio obrero del s. XIX.

París.

Los nuevos planes urbanos incluyen la introducción del alumbrado y el ensanchamiento de calles y plazas. Las ciudades se vuelven más espaciosas, más limpias y más seguras. En el s. XIX se abandona el límite impuesto por muros y murallas y se hacen ensanches fuera del casco antiguo. La aparición de la clase obrera hace que un tipo de barrio se destine para ella.

Uribe, Álvaro

Álvaro Uribe Vélez (n. 1952) es un **abogado** y **político colombiano**. Siendo gobernador de Antioquia (1995 -1997) puso en práctica el modelo de estado comunitario, cuya

principal característica es la participación ciudadana en las decisiones fundamentales del Estado. En 2002 fue elegido presidente de Colombia, convirtiéndose en el primer presidente en ganar las elecciones en primera vuelta desde que se instauró la medida en la Constitución de 1991.

Uruguay

Uruguay es un país de América del Sur. Lo más característico de su relieve son unas elevaciones de escasa altura, unos 500 m, llamadas **cuchillas**. Los ríos principales que riegan el país son el Uruguay y el Negro. El **clima** es templado y las lluvias abundantes. El principal recurso económico de Uruguay es la ganadería. También hay cultivos de trigo, maíz, arroz y avena. La industria se centra en los sectores textil, plástico, de calzado y de papel. La primera expedición de españoles (1516) fue llevada a cabo por **J. Díaz de Solís**, quien descubrió el sur del continente y el **Río de la Plata**. La segunda (1520) fue realizada por Magallanes, que descubrió la parte sur del río Uruguay, recorrió el estuario y bautizó con el nombre de Montevideo a una bahía y cerro que se encontraban cerca de la parte central de la costa. Los españoles tuvieron que hacer frente a la resistencia de los pueblos indígenas, como los charrúas, para establecer sus asentamientos. La **independencia** llegó en 1828 tras años de duras luchas. Sin embargo, la independencia no trajo la estabilidad económica ni política al país. La **literatura** uruguaya está representada por importantes figuras. Se pueden mencionar nombres como Juana de Ibarbourou, poetisa autora de *Las lenguas del diamante* o *La rosa de los vientos*, Acevedo Díaz, creador de la novela nacional con obras como *Nativa* o *Lanza y sable*, Mario Benedetti y J. C. Onetti, que ha escrito *La vida breve* o *Dejemos hablar al viento*.

Montevideo, la capital del país. Aquí se concentran los principales organismos oficiales de Uruguay. Es la capital más joven de América, fundada en 1726 por el gobernador español Zabala con el nombre de San Felipe y Santiago de Montevideo. Entre sus edificios más importantes están la catedral (1790-1804) y el cabildo (1804-1810), ambos en la plaza de la Constitución; la Puerta de la Ciudadela o la Casa Lavalleja. En la moderna plaza de la Independencia se sitúa el teatro Solís, uno de los principales centros culturales. Concentra al mayor porcentaje del total de la población de Uruguay. Aunque en la actualidad el ritmo se ha frenado, la inmigración ha sido decisiva para el crecimiento de la ciudad. Desde la segunda mitad del s. XIX llegaron miles de inmigrantes de Europa que se instalaron en la ciudad y la acercaron a los 200 000 habitantes.

La ciudad de **Montevideo** se divide en dos zonas principales: la ciudad vieja y la ciudad nueva. Ambas cuentan con numerosos parques y jardines. Destacan el parque Prado, el Rodó y el Ordoñez.

El espléndido pasado de **Colonia** se observa aún en algunos de sus edificios más antiguos. Fue fundada en el año 1680 por el portugués Manuel Lobo, llegado desde Río de Janeiro, que por entonces estaba en manos de los portugueses. Así pues en ella se mezclaron influencias de las dos culturas, por otro lado muy similares entre ellas.

La ciudad de **Colonia** o Colonia de Sacramento fue disputada por españoles y portugueses a lo largo de los siglos XVII y XVIII, para quedar definitivamente en manos de los primeros en 1777. Su situación estratégica para el control del estuario y la falta de límites claros en esa zona entre las dos potencias ibéricas fue lo que provocó la larga disputa. En la actualidad es un importante centro comercial y portuario uruguayo que cuenta con un aeropuerto. El turismo es una de las principales actividades junto con las industrias textiles, las de productos lácteos y producción termoeléctrica.

Juana de Ibarbouru. Una de las mujeres escritoras más importantes y célebres del país. Escribió muchos poemas sobre las madres y los hijos. Su verdadero nombre era Juana Fernández Morales, pero cambió su apellido al contraer matrimonio. Había nacido en un pueblo del interior llamado Melo.

CURIOSIDADES

Garibaldi en Uruguay

A mediados del s. XIX tuvo lugar una guerra civil en Uruguay que enfrentó a conservadores (los blancos) y liberales (los colorados). El bando de los conservadores, dirigido por Oribe, puso sitio a Montevideo. Entre los defensores colorados o liberales estaban los voluntarios de Garibaldi encabezados por éste. Al fin el sitio fue levantado en 1851.

DATOS

Uruguay

Habitantes
3 391 000

Superficie
176 215 km²

Densidad
19 hab./km²

Capital
Montevideo

Otras ciudades importantes
Las Piedras, Paysandú, Salto

Sistema de gobierno
República presidencialista

Idioma
Español (oficial)

Moneda
Nuevo peso uruguayo

Utah

Utah es un **estado de EE UU**, situado en la parte occidental. Su capital es **Salt Lake City**. Se halla accidentado por los montes Wasacht, que lo dividen en dos zonas: la occidental, de suelo llano, semidesértico, y la oriental, elevada meseta de gran belleza debido a las profundas gargantas que han originado los afluentes del Colorado. Entre los lagos que se alojan al noroeste del estado, cabe destacar el Gran Lago Salado, de 5 180 km² de superficie. La población actual desciende, en su mayor parte, de los antiguos mormones, colonizadores de la región. En el sur del estado existen varias reservas indígenas, siendo el grupo mayoritario el de los navajos. Fue posesión española hasta 1821, en que pasó a México; más tarde fue cedido a EE UU (1848). En 1847 los mormones se habían establecido en Salt Lake City. Esta inmigración masiva y algunas de sus peculiaridades provocaron la intervención del gobierno federal y la guerra mormona (1857-58). En 1896 fue convertido en el 45 estado de la Unión.

En 1911 la azucena se convirtió en la flor simbólica del estado de Utah.

El Parque Nacional de Bryce Canyon está formado por pequeños barrancos erosionados dentro del lado este de la cordillera, al sudoeste de Utah.

Utah

SÍMBOLOS DEL ESTADO

Apodo
Estado colmena

Flor del estado
Azucena

Pájaro del estado
Gaviota

Lema
Laboriosidad

Uzbekistán

Uzbekistán es un país de Asia central. Gran parte de su territorio está ocupado por el desierto Kizilkum, aunque en el este hay fértiles valles. Las temperaturas son cálidas en verano y frías en invierno y las lluvias son escasas. La **economía** se basa en el cultivo de algodón, cereales, tabaco y vid, las explotaciones de petróleo, gas natural, carbón y cobre, y la industrial textil y química. Tras pertenecer al imperio turco en el siglo XV, a Rusia y la Unión Soviética, obtuvo la **independencia** en 1991.

Samarcanda. Ciudad situada en la ruta de la seda y en la que la influencia musulmana es muy notable en edificios e historia. Cada año atrae a cientos de turistas que acuden a ver sus madrasas o escuelas coránicas de los siglos XV a XVII, sus mezquitas, necrópolis y mausoleos, célebres desde los tiempos de Gengis Khan.

Uzbekistán

DATOS

Habitantes
25 705 000

Superficie
447 400 km²

Densidad
52 hab./km²

Capital
Taskent

Otras ciudades importantes
Samarcanda, Namangan

Sistema de gobierno
República presidencialista

Idioma
Uzbeko

Moneda
Som

vaca

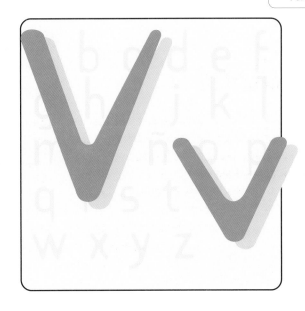

Las vacas son las hembras adultas del **toro**. Las vacas jóvenes reciben los nombres de terneras y novillas. Estos animales son mamíferos herbívoros, emparentados con los búfalos y los bisontes. Fueron domesticados hace miles de años por el hombre, quien obtiene de ellos productos de gran importancia como carne, cuero y leche. Las vacas son animales **rumiantes** (🐍 herbívoro y estómago), que tienen dos dedos con pezuñas en cada pie y dos cuernos en la cabeza. Existen numerosas razas, cuyo conjunto recibe el nombre de **ganado vacuno,** dividido en dos grupos principales: ganado lechero y ganado para la obtención de carne. Dentro del ganado vacuno productor de leche destacan razas como la Frisona, de color blanco y negro, procedente de Holanda; la Jersey; y la Brown Swiss, de Suiza. Dentro de las razas de carne, las principales son la Hereford; la Charolesa, de origen francés; la Simmental; y la Aberdeen-Angus, de Inglaterra.

*Una de las razas más conocidas es la **frisona**, de color blanco con sus características manchas negras. Es la vaca lechera por excelencia.*

Vaca y ternero de la raza Hereford. Esta raza es una de las más famosas por ser utilizada en los rebaños que guiaban los cowboys en el oeste de EE UU. Procede del condado de Herefordshire en el Reino Unido donde se comenzó a criar en 1742.

*Vaca y ternero en **Tudanca**, localidad del norte de España (Cantabria) que da nombre a esta raza de vacas, caracterizada, por su color gris oscuro, más claro en el lomo, y sus grandes cuernos.*

Aunque se siga empleando el método de ordeño a mano, en la actualidad hay múltiples modelos de ordeñadoras mecánicas, más rápidas, cómodas e higiénicas.

*Los pastores utilizan diversos métodos para controlar al rebaño de vacas. Entre los más tradicionales está el de colocarles un **cencerro** que por el sonido que produce marque donde se encuentra el animal. Los más habilidosos son capaces de diferenciar el sonido de cada uno de ellos.*

CURIOSIDADES

Animal sagrado

Aunque en la mayor parte del mundo las vacas son animales de los que se obtiene carne, leche y cuero, en algunas zonas de la India tan siquiera se permite molestar a este animal, que anda libremente por las calles; incluso los coches deben parar y desviarse. La vaca es el animal sagrado de la India.

vacío

El vacío es un espacio en el que no existe materia. El vacío como tal no existe, ya que incluso en las regiones más lejanas del Universo hay pequeñas cantidades de materia, en forma de gas. En un sentido práctico se entiende por vacío el espacio en el que la presión es menor que la presión atmosférica normal (☞ aire). Para crear vacío de una forma artificial en un recipiente cerrado, se extrae el aire de él mediante una bomba. Al salir el aire, la presión disminuye, ya que hay menos moléculas (☞ átomo) de aire empujando sus paredes. El vacío tiene muchas **aplicaciones** prácticas, tanto en electrodomésticos como los aspiradores, o en la conservación de alimentos en envases de los que se extrae el aire para evitar que se estropeen.

Muchas pruebas y experimentos científicos necesitan realizarse en ambientes con menor presión de la normal, es decir, al vacío, para lo que se extrae el aire de forma artificial.

vacunación

La vacunación es un proceso médico que consiste en la aplicación de una **vacuna** para combatir una enfermedad infecciosa, como el tétano o la gripe. Las vacunas son productos preparados a partir de los microorganismos (☞ bacteria) causantes de enfermedades, que en dosis muy pequeñas, muertos o atenuados, activan la producción de defensas, los llamados **anticuerpos** (☞ inmunidad), que reconocen a esos microorganismos y los atacan en el caso de futuras infecciones. La primera vacuna fue descubierta por el médico inglés **Edward Jenner**, en 1798, quien descubrió la vacuna de la viruela. Las vacunas pueden aplicarse de distintas formas. Aunque la más habitual es la **inyección**, existen otras que se administran por vía oral o nasal.

Valentino, Rodolfo

Rodolfo Valentino [1895-1926] fue un **actor de cine estadounidense**, cuyo verdadero nombre era Rodolfo Guillermo d'Antonguolla. Nació en Italia, pero con 18 años emigra a EE UU. Se dedica al cine y su imagen de galán hace crecer su fama hasta convertirle en mito. Se convirtió en el ídolo de la admiracion femenina mundial. A su muerte se le erigió un monumento en Hollywood, donde fue depositado su cadáver. Intervino en películas como *Los cuatro jinetes del Apocalipsis* (1921), *El caíd* (1921), *Noche de bodas* (1924) y *El hijo del caíd* (1926).

Valle-Inclán, R. del

Ramón del Valle Inclán [1869-1936] fue un **escritor español**. Tras estudiar en Pontevedra y Santiago de Compostela, viajó a México y se alistó en su ejército. Regresó a España, aunque volvió a América como director teatral; también fue corresponsal de guerra y profesor de estética, pero murió en la pobreza. Entre 1902 y 1905 escribió *Sonatas,* cuatro relatos que se corresponden con las estaciones del año; entre 1907 y 1922 compuso la trilogía *Comedias bárbaras, Tirano Banderas* es de 1926 y *El ruedo ibérico* de 1927, pero sus obras más importantes son piezas teatrales, conocidas como **esperpentos**: *Luces de Bohemia* (1920), *Divinas palabras* (1920) y *Martes de carnaval* (1930). Son piezas cortas en las que Valle Inclán busca conscientemente la deformación de la realidad hasta lo grotesco para crear un género que refleje correctamente la vida española y su carácter absurdo; para ello se dignifica artísticamente un lenguaje coloquial y desgarrado, en el que abundan expresiones cínicas y jergales.

Van Gogh, Vincent

Vincent Van Gogh [1853-1890] fue un **pintor holandés**. Fue un hombre muy sensible y vivió siempre tan angustiado que acabó suicidándose. Pintó sobre todo paisajes y retratos. Entre sus obras destacan *Los comedores de patatas, La noche estrellada, Retrato del cartero Roulin*, etc. Algunos de sus cuadros, como *Retrato del Dr. Gachet, Los Lirios* y *Los Girasoles* se encuentran entre los cuadros por los que más dinero se ha pagado en una subasta.

Los Girasoles. *Uno de los cuadros más valiosos de la historia si nos atenemos al precio que alcanzó en subasta en 1987: 40 millones de dólares USA.*

Cafe Terrace. *Van Gogh se inspira en el paisaje que le rodea, incluidos los personajes que conoce y que retrata con sus pinceladas características.*

La habitación del artista en Arles *(1888). Fue pintado mientras Van Gogh vivía en el sur de Francia y destaca por la utilización de colores muy intensos.*

vanguardismo

El vanguardismo es un modo de interpretar las artes o las letras que pretende romper con lo que existe hasta ese momento introduciendo formas totalmente nuevas. Los diferentes movimientos de vanguardia surgen en los comienzos del siglo XX y son varios: cubismo, dadaísmo, creacionismo, surrealismo, futurismo, etc. El primero de estos movimientos fue el **cubismo**, que surgió en 1907 cuando Picasso pinta *Las señoritas de Avignon* y que tuvo en Juan Gris a su mejor representante. Los cubistas usan formas geométricas para describir lo que ven. El **surrealismo** se impone a partir de los años 20 y busca una liberación total: del hombre, del lenguaje, del arte, etc. y en esta liberación tienen mucho que ver las ideas de Freud. Por eso mezcla palabras que no tienen ninguna relación, asocia imágenes disparatadas, juega con las palabras, etc. El surrealismo influyó mucho en los poetas de la generación del 27 (☞ Alberti), en pintores como Dalí y en directores de cine como Buñuel.

El Ángel, *de Julio González, escultor cubista español.*

Desnudo bajando la escalera *del francés Marcel Duchamp, uno de los artistas más importantes de la vanguardia mundial.*

Carnaval de Arlequín *de Miró. La búsqueda de nuevos caminos, como el surrealismo o el arte abstracto, está muy presente en la obra de este artista.*

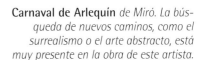

Vanuatú

Vanuatú es un país de Oceanía. Está formado por más de 40 islas de origen volcánico. Las más importantes son Espíritu Santo, Malakula y Efate. El **clima** es tropical, con temperaturas cálidas y lluvias abundantes. En Vanuatú se cultiva cacao y palma cocotera; la economía del país también se basa en la pesca, la explotación forestal y la minería. Aunque otros exploradores habían llegado antes, cuando en 1774 llegó **Cook** llamó a estas islas **Nuevas Hébridas**. Franceses y británicos compartieron el dominio de estas islas hasta 1980, año en que consiguieron la **independencia**.

Vanuatú

- **Habitantes**
  207 000
- **Superficie**
  12 189 km²
- **Densidad**
  17 hab./km²
- **Capital**
  Port Vila
- **Otras ciudades importantes**
  Forari, Ipota, Luganville
- **Sistema de gobierno**
  República unitaria
- **Idioma**
  Bislama, inglés y francés
- **Moneda**
  Vatu

Isla de Pentecostes. El 98 % de la población de Vanuatú son melanesios. También hay franceses, vietnamitas, chinos y otros pueblos del Pacífico.

Isla Hiu 167°
Isla Tegua
Islas Isla Loh Isla
Torres Isla Toga Ureparapara 168°
I. Mota Lava
Vanua 951 **Islas**
Lava I. Mota **Banks**
14°
Tarasag
Gaua 797 I. Mera
Lava
1030
C. Cumberland
1372
Nokuku Cabo Queiros Punta Norte
Marino 15°
M. Tabwemasana 811 **Maewo**
1810 Malau Lolowai Nasawa
Nduindui
Espíritu Pusei Santa 1496 Paso Patteson
Santo **Aoba**
Cabo 326 **Malo** **Pentecostes**
Lisburn
946
614
Norsup Paso Selwyn 16°
Ranon
Lakatoro M. Marum
1270 **Ambrym**
M. Penot Lamap Paama
Malakula 863 1413 Lopevi **Islas**
833 Epi **Shepherd**
Islas Maskelyne
Valesdir
Tongoa 17°
Emai
Mataso
Nguna
Moso Monte
Macdonald
Punta Punta Manouro
Devil Port Vila
Efate 18°

V A N U A T Ú

169°
Erromango 886
Ipota
19°

0 183 km

Aniwa 170°
Tanna
Isangel Whitesands
1084
20°
Aname
Aneityum

O C É A N O
P A C Í F I C O

El paisaje de estas islas es de tipo tropical lluvioso aunque moderado por la influencia marina. La vegetación inunda casi todos los rincones con varias especies endémicas de las más exóticas de Oceanía. Algunos de sus árboles se aprovechan para la industria maderera.

Vargas Llosa, Mario

Mario Vargas Llosa [1936-] es un **escritor peruano**, aunque pasa largas temporadas fuera de su país, en París y Barcelona sobre todo. En sus relatos intenta descifrar la realidad que le rodea, aunque su forma de escribir resulta a veces un poco compleja, como bien puede comprobarse en *La ciudad y los perros* (1962), con varios narradores. Otras obras de Vargas Llosa son *La casa verde* (1966), *Conversación en la catedral* (1969), *Pantaleón y las visitadoras* (1973), *La tía Julia y el escribidor* (1977), *La guerra del fin del mundo* (1981), *Lituma en los Andes* (1993), *La fiesta del chivo* (2000), *El paraíso en la otra esquina* (2003), etc.

Vaticano, Ciudad del

C iudad del Vaticano es el país más pequeño del mundo. Se encuentra dentro de la ciudad de Roma, en Italia. Es el centro de gobierno de la Iglesia católica romana y es el lugar de residencia del papa. Se compone de una serie de edificaciones de gran belleza, entre las que destaca la **basílica de San Pedro**. La población se compone en su mayoría de religiosos. La economía del Vaticano se basa en el turismo y en las aportaciones de los fieles.

Basílica de San Pedro. La cúpula fue diseñada por Miguel Ángel, que trabajó en ella entre 1546 y 1564, año en que murió. Fue completada por Fontana y Della Porta en 24 años más. En la base de la cúpula figura la inscripción: "Tú eres Pedro, y sobre esta Roca edificaré mi Iglesia, y te daré las llaves del cielo".

Ciudad del Vaticano

Habitantes
780

Superficie
0,44 km²

Densidad
1 772 hab./km²

Capital
Ciudad del Vaticano

Otras ciudades importantes
Korçë, Escutari, Durazzo

Sistema de gobierno
Gobierno del Papa delegado en el cardenal secretario de estado

Idioma
Italiano (oficial) y latín (en actos oficiales)

Moneda
Euro

*La **plaza de San Pedro**. La Ciudad del Vaticano es un pequeño estado con sus representantes propios o embajadores, que reciben el nombre de nuncios, acreditados en numerosos países del mundo. También cuenta con una guardia suiza de vistoso uniforme con funciones de escolta y seguridad.*

La Capilla Sixtina

L os frescos de la Capilla Sixtina son una de las obras cumbre del Renacimiento italiano. Realizados por Miguel Ángel Buonarroti entre 1508 y 1512 por encargo del Papa Julio II. Aunque la relación entre los dos personajes fue muy difícil el resultado final mereció la pena.

La serpiente de Bronce. Los temas elegidos son del Antiguo y Nuevo Testamento. Destacan los Profetas, las Sibilas y el extraordinario conjunto del Juicio Final.

La Virgen María. Las figuras de Miguel Ángel tienen mucho volumen y fuerza expresiva. Remarca la forma de los cuerpos con intensidad.

La capilla tiene una longitud de 40,90 m de largo. Todos ellos están cubiertos de frescos.

Vázquez, Ramón

R amón Vázquez Tabaré (n. 1940) es un **médico** y **político uruguayo**. Desde 1987 fue dirigente del Partido Socialista y en 1989 fue elegido intendente de Montevideo. Asumió la presidencia de Uruguay en marzo de 2005.

Vega, Félix Lope de

Félix Lope de Vega [1562-1635] fue un **escritor español**. Su vida fue muy agitada y tuvo muchos amores, aunque al final se ordenó sacerdote. Todo ello se refleja en su obra, muy extensa. Se le considera el creador del teatro en España y su éxito se debió a que supo reflejar muy bien el sentir de las gentes de su época en un teatro muy vivo, en el que se mezcla lo triste con lo cómico y donde aparece la figura del gracioso, fundamental en las comedias de Lope de Vega. De su producción destacan las **comedias de capa y espada**: *La dama boba* (1613), *El perro del hortelano* (1613-15), y los **dramas de honor**: *Peribáñez y el comendador de Ocaña*, *El mejor alcalde, el rey*, *Fuenteovejuna*, *El alcalde de Zalamea*, *El caballero de Olmedo*, etc. También escribió **poesía**: *La Dragontea* (1598), *Rimas humanas* (1604), *La Jerusalén conquistada* (1609), etc.

Fuenteovejuna

Acto II: Se celebra la boda de Laurencia (la joven asediada por el Comendador) y Frondoso (su amado), con gran júbilo de los acompañantes. Pero el festejo quedará dramáticamente interrumpido, con la vuelta del Comendador de la villa.

COMENDADOR. Estése la boda queda, / y no se alborote nadie.

JUAN ROJO. No es juego aqueste, señor, / y basta que tú lo mandes. / ¿Quieres jugar? ¿Cómo vienes con belicoso alarde? / ¿Venciste? Mas ¿qué pregunto?

FRONDOSO. ¡Muerto soy! ¡Cielos, libradme!

LAURENCIA. Huye por aquí, Frondoso.

COMENDADOR. Eso no, prendedle, atadle.

JUAN ROJO. Date, muchacho, a prisión.

FRONDOSO. Pues, ¿quieres tú que me maten?

JUAN ROJO. ¿Por qué?

COMENDADOR. No soy hombre yo / que mato sin culpa a nadie; / que si lo fuera, le hubieran / pasado de parte a parte / esos soldados que traigo. / Llevarlo mando a la cárcel, / donde la culpa que tiene / sentencie su mismo padre.   (...)

ESTEBAN. Supuesto que el disculparle / ya puede tocar a un suegro, / no es mucho que en causas tales / se descomponga con vos / un hombre, en efecto, amante; / porque si vos pretendéis / su propia mujer quitarle, / ¿qué mucho que la defienda?

COMENDADOR. Majadero sois, alcalde.

ESTEBAN. Por vuestra virtud, señor.

COMENDADOR. Nunca quise quitarle / su mujer, pues no lo era.

ESTEBAN. Si quisiste... Y eso baste; / que reyes hay en Castilla / que nuevas órdenes hacen, / con que desórdenes quitan. / Y harán mal, cuando descansen / de las guerras, en sufrir / en sus villas y lugares / a hombres tan poderosos / por traer cruces tan grandes; / póngasela el rey al pecho, / que para pechos reales / es esa insignia y no más.   (...)

Velázquez, Diego

Diego Velázquez [1599-1660] fue un **pintor español**. Tras pasar una temporada en Sevilla, en 1623 llega a Madrid y pasa a ser pintor de cámara de Felipe IV. Realizó dos viajes a Italia y tuvo ocasión de admirar los cuadros de pintores italianos como Tiziano. Velázquez está considerado como uno de los grandes genios de la pintura. En sus cuadros, y gracias a la maestría con la que domina la luz, se percibe el aire y hasta el polvo que está suspendido. Algunas de sus obras más importantes son: *La vieja friendo huevos*, *El retrato del Infante don Carlos*, *La fragua de Vulcano*, *Los borrachos*, y, sobre todo, *La Rendición de Breda*, *Las Meninas* y *Las hilanderas*, todas ellas en el Museo del Prado. En la primera, Velázquez resuelve magistralmente las tres fases que motivan el cuadro: Breda, los ejércitos y el acto de la rendición. La profundidad de planos y el color son verdaderamente únicos.

El Príncipe Baltasar Carlos a caballo. *El retrato fue una de las especialidades de Velázquez. Como pintor de cámara retrató a la familia del monarca y a los nobles que conoció, pero también pintó a personajes humildes, demostrando su maestría en retratar los caracteres de las gentes.*

La genialidad de **Las Meninas** *reside fundamentalmente en que el pintor se encuentra dentro del cuadro y los personajes retratados se sitúan alrededor de él, con lo que consigue que la sensación de estar en el interior de la habitación sea muy real.*

velocidad

La velocidad es el cambio en la posición que experimenta un cuerpo por unidad de tiempo. La velocidad se expresa como la distancia recorrida por un cuerpo (en metros o kilómetros) en cada unidad de tiempo (en horas o segundos). Así, si decimos que un coche va a una velocidad de 80 km/h, queremos decir que recorre 80 km cada hora. Los objetos pueden moverse con velocidad constante, es decir, siempre con la misma rapidez, o variar a lo largo del tiempo (⌐ aceleración).

Superar la velocidad del sonido fue unos de los ideales de la aeronáutica. Ahora el sueño es alcanzar la velocidad de la luz.

venas

Las venas son **vasos sanguíneos**, es decir, conductos por los que circula la sangre, desde los tejidos más distantes del organismo hasta el corazón. La sangre que conducen se llama sangre venosa y lleva una gran cantidad de dióxido de carbono procedente de la respiración celular, que será intercambiado por oxígeno en los pulmones. Las venas, sobre todo las de la parte inferior del cuerpo, poseen válvulas para facilitar que la sangre circule en sentido contrario a la fuerza de la gravedad. El conjunto de las venas forma el **sistema venoso**, que es más extenso que el sistema arterial (⌐ arteria). De los pulmones se originan las cuatro **venas pulmonares** (dos de cada

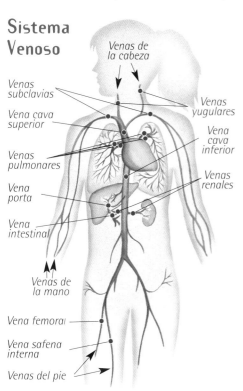

Sistema Venoso

- Venas de la cabeza
- Venas subclavias
- Vena cava superior
- Venas yugulares
- Vena cava inferior
- Venas pulmonares
- Vena porta
- Venas renales
- Vena intestinal
- Venas de la mano
- Vena femoral
- Vena safena interna
- Venas del pie

pulmón), que desembocan en la aurícula izquierda. Las venas procedentes del resto del cuerpo se van uniendo y originan dos grandes vasos, que desembocan en la aurícula derecha: la **vena cava superior** que recoge la sangre de la cabeza, los brazos y la pared torácica, y la **vena cava inferior**, donde se reúnen la sangre procedente de las restantes partes del organismo. El sistema venoso se divide, pues, en tres **subsistemas**: el general, formado por las venas cava superior y cava inferior; el pulmonar, formado por las venas pulmonares; y el portal, que lleva la sangre desde el intestino y el bazo, a través de la vena porta, hasta el hígado, llevándola después por las venas subhepáticas hasta la vena cava inferior.

Venecia

Venecia es una **ciudad de Italia**. Lo más peculiar de esta ciudad es su situación, ya que se asienta sobre un archipiélago de 118 islas situadas en una laguna, rodeadas por más de 160 canales comunicados por más de

400 puentes. Para desplazarse por la ciudad, se utilizan las características **góndolas**. En el centro de la ciudad está la magnífica plaza de San Marcos, donde se encuentra la basílica del mismo nombre (siglo XI) y el Palacio Ducal (siglos XIV-XV). Otros monumentos interesantes son la iglesia de San Zanípolo y la de Santa María dei Frari, y los palacios Ca'd'Oro y Ca' Foscari, el Contarini-Fasan, etc. En Venecia, además, se celebran importantes festivales de arte, cine, música y teatro.

Venetiaan, Ronald

Ronald Runaldo Venetiaan (n. 1936) es un **político surinamés**. Su primer mandato fue desde 1991 hasta 1996, pero perdió las elecciones contra Jules Wijdenbosch. En 2000 ganó de nuevo las elecciones y se convirtió en el nuevo presidente de Surinam.

Venezuela

Venezuela es un país de América del Sur. La mayor parte de su territorio está ocupado por los Llanos centrales, una región de fértiles praderas, y por el macizo de Guayana, con sierras y mesetas. Al noroeste se encuentra la **cordillera de Mérida**, que es continuación de los Andes. La costa, sobre el mar Caribe, es bastante accidentada y frente a ella se sitúan varias islas que pertenecen a Venezuela, como la de Margarita. El río más importante del país es el **Orinoco**. El **clima** es cálido y bastante lluvioso, aunque teniendo en cuenta la altura puede haber grandes diferencias de temperatura. La **economía** de Venezuela se basa en las explotaciones de petróleo y también de hierro y gas natural. Por este motivo la principal industria es la derivada de estas actividades. Se cultiva café, azúcar y cereales, y la pesca está adquiriendo importancia. Cuando Colón llegó en 1498, Venezuela estaba habitada por pueblos como los **caribes** y los **arawak**. Con la llegada de colonizadores europeos y de los esclavos (☞ esclavitud) que éstos trajeron, se produjo una mezcla de razas que ha dado lugar al mestizaje que hoy existe en el país. Los colonos que allí se instalaron exigieron la **independencia** en el siglo XVIII y para conseguirla fue necesaria una guerra de más de 15 años liderada por Simón Bolívar. La independencia definitiva llegó en 1930. Dos de las figuras más destacadas de la **literatura** venezolana son **Rómulo Gallegos**, autor de Doña Bárbara o Canaima, reflejos de la realidad venezolana, y **Arturo Uslar Pietri**, con obras como Las lanzas coloradas, Oficio de difuntos y también varios ensayos.

Oleoductos en Venezuela. El petróleo es una de las principales fuentes de ingresos del país. Venezuela fue la instigadora de la creación de la OPEP (Organización de Países Exportadores de Petróleo) en 1960. Las principales zonas de extracción se encuentran en torno al lago Maracaibo y entre la costa este y el río Orinoco.

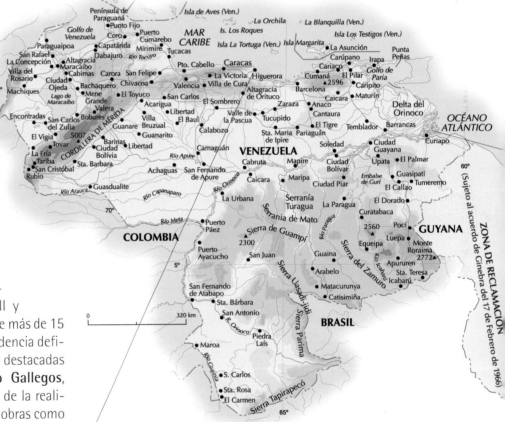

La capital **Caracas** es una ciudad densamente poblada. Mientras el centro está dotado con las más modernas infraestructuras y se elevan sobre él numerosos rascacielos, a las afueras aparecen los denominados ranchitos, chabolas de gente humilde que no tiene otro lugar donde vivir.

Venezuela ha sido la patria de muchos de los libertadores de América del Sur. *Antonio José de Sucre* fue uno de los próceres de la independencia. Este venezolano participó junto a Miranda en la primera campaña independentista (1812) y en todas las que la siguieron. En 1818 se unió a Bolívar y se convirtió en su gran amigo. Venció a los realistas en las batallas de Yahuachi (1821), Pichincha (1822) y Ayacucho (1824). Fue el primer presidente electo de Bolivia pero tuvo que renunciar por presiones.

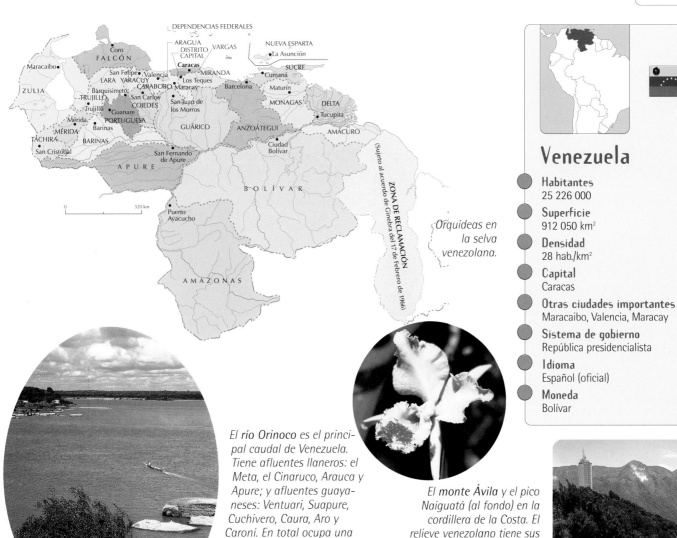

DEPENDENCIAS FEDERALES

ARAGUA
DISTRITO
CAPITAL
VARGAS
NUEVA ESPARTA
La Asunción

Coro
FALCÓN
Maracaibo
San Felipe Valencia Caracas MIRANDA SUCRE
LARA YARACUY Los Teques Cumaná
ZULIA Barquisimeto CARABOBO Maracay Barcelona Maturín
TRUJILLO San Carlos
COJEDES San Juan de MONAGAS DELTA
Trujillo Guanare los Morros Tucupita
Mérida PORTUGUESA AMACURO
MÉRIDA Barinas GUÁRICO ANZOÁTEGUI AMACURO
TÁCHIRA BARINAS Ciudad
San Cristóbal Bolívar
APURE San Fernando
de Apure
BOLÍVAR

ZONA DE RECLAMACIÓN
(Sujeto al acuerdo de Ginebra del 17 de febrero de 1966)

0   320 km
Puerto
Ayacucho

AMAZONAS

Venezuela

Habitantes
25 226 000

Superficie
912 050 km²

Densidad
28 hab./km²

Capital
Caracas

Otras ciudades importantes
Maracaibo, Valencia, Maracay

Sistema de gobierno
República presidencialista

Idioma
Español (oficial)

Moneda
Bolívar

Orquídeas en la selva venezolana.

El río Orinoco es el principal caudal de Venezuela. Tiene afluentes llaneros: el Meta, el Cinaruco, Arauca y Apure; y afluentes guayaneses: Ventuari, Suapure, Cuchivero, Caura, Aro y Caroní. En total ocupa una superficie de 640 000 km² de territorio. Nace en la sierra Parima y cruza un paisaje de selvas tropicales y sabanas hasta formar un enorme delta en su desembocadura al Océano Atlántico.

El monte Ávila y el pico Naiguatá (al fondo) en la cordillera de la Costa. El relieve venezolano tiene sus máximas altitudes en la cordillera de Mérida, al oeste del país. Los alrededores de la capital son también muy montañosos. Por último al sur del Orinoco se elevan diversas sierras que se prolongan por las fronteras con Brasil y Guyana.

*En Venezuela se encuentran las cataratas más altas del mundo: el **Salto del Ángel**, que se precipitan sobre la selva desde una altura de 979 m. Aunque se descubrieron en 1910 no se hicieron famosas hasta 1937 cuando el piloto norteamericano James Angel les dio su nombre. Las cataratas están en el Parque Nacional de Guanaima, en el estado de Bolívar, al sudeste de Venezuela.*

Casas

Se dice que Venezuela se llama así porque cuando los primeros colonos europeos vieron las casas construidas sobre el agua recordaron Venecia.

Venus (diosa)

D iosa romana (🔗 mitología romana) del amor y la belleza. También de la fecundidad; está asociada a la primavera y el amor. Es la *Afrodita* de los griegos (🔗 mitología griega). La tradición le adjudica el orígen de la familia Julia. Originariamente era una diosa itálica que protegía la horticultura y la agricultura. Es la madre del célebre *Cupido*.

Venus y el arte

U na de las diosas más representadas en el arte a lo largo de la historia de la humanidad es Venus. Botticelli y Rafael la pintaron en su nacimiento, Carracci y Rubens en el triunfo, y también fue retratada por Lucas Cranach, Velázquez, Tiziano y numerosos escultores griegos y romanos.

Venus (planeta)

V enus es el segundo planeta en distancia al Sol, del que le separan entre 107,3 y 108,7 millones de km. Este planeta es de un tamaño similar al de la Tierra. Su diámetro es de 12 300 km. Su año dura 224,7 días terrestres y el día 22 horas y 17 minutos. Se encuentra a una distancia de la Tierra que varía a lo largo del año, oscilando desde los 38 a los 259 millones de km. Este planeta es un misterio, ya que las densas nubes de gas carbónico que lo cubren impiden observar las características de su superficie.

verbo

E l verbo es una parte variable de la oración que nos informa de la existencia, el estado o la acción de los seres, sean animados o inanimados. Es variable porque tiene una serie de accidentes que cambian su forma: **persona** (primera, segunda y tercera), **número** (singular y plural), **tiempo** (presente, pasado y futuro), **modo** (indicativo, subjuntivo e imperativo), **aspecto** (perfectivo e imperfectivo) y **voz** (activa y pasiva). El conjunto de todas las formas que adopta un verbo según estos accidentes es la llamada conjugación verbal. En esta conjugación también entran las **formas no personales** del verbo: infinitivo, participio y gerundio.

TIPOS DE VERBOS

Verbos transitivos

Son aquellos que necesitan concretar su significado por medio del complemento directo. (Mi madre *compra* <u>el periódico</u>).
C. D.

Verbos reflexivos

Son los transitivos en los que el complemento directo representa al mismo sujeto. (<u>Me</u> *peiné* yo misma).
C. D.

Verbos recíprocos

Son los transitivos en los que hay varios sujetos, cada uno de los cuales recibe la acción de los otros. (<u>Nos</u> *saludamos*).
C. D.

Verbos intransitivos

Son aquellos que no necesitan complemento directo para completar su significado. (Mi hermana *nació* en agosto).

Verbos pronominales

Son aquellos que siempre aparecen con un pronombre personal. (No *te quejes* tanto).

Verbos copulativos

Son un enlace entre el sujeto y predicado o atributo. Son los verbos **ser** y **estar**. (<u>Juan</u> *es* mi <u>hermano</u>).
Suj.   Atributo

Verbos auxiliares

Son los que acompañan a otros verbos perdiendo parte de su significado. Son los verbos **haber** y **ser**. (*He* hecho los deberes).

ACCIDENTES VERBALES

La persona

1º persona: el sujeto coincide con el hablante (*escucho*).

2º persona: el sujeto coincide con el oyente (*escuchas*).

3º persona: el sujeto no coincide ni con el hablante ni con el oyente (*escucha*).

El número

Singular: la acción la realiza un solo ser (*canta*).

Plural: la acción la realizan dos o más seres (*cantamos*).

Los morfemas que indican la persona y el número se llaman **desinencias** y son:

- de 2ª persona del singular -*s* (en general) y -*ste* (en perfecto simple);
- de 1ª persona del plural -*mos* (en general y en perfecto simple);
- de 2ª persona del plural -*is* (en general), -*steis* (en perfecto simple) y -*d* (en imperativo);
- de 3ª persona del plural -*n* (en general) y -*ron* (en perfecto simple).

El modo

Es la actitud que adopta el hablante ante la acción verbal.

Indicativo: expresa la acción verbal como algo real, actual y objetivo. Incluye el condicional o potencial, que presenta la acción como una posibilidad, no como hecho real.

(Yo *estudio* todos los días).

Subjuntivo: puede expresar deseo, duda, ruego. En este modo se puede apreciar la subjetividad del hablante.

(Si *estudiara* todos los días aprobaría).

Imperativo: el hablante intenta influir sobre el oyente con mandatos o peticiones. (¡*Estudiad*!).

El tiempo

Presente: la acción se desarrolla en el momento actual (*hablas*).

Pasado: la acción ya ha finalizado (*hablaste*).

Futuro: la acción se desarrollará en un momento posterior (*hablarás*).

El aspecto

Indica la perspectiva sobre la acción real, considerándola en su cumplimiento o en su desarrollo. Diferencia los tiempos perfectos o compuestos (y el pretérito perfecto simple) de los tiempos simples.

Perfectivo o puntual: se considera la acción en su cumplimiento, como acabada (*Fui* al cine ayer).

Imperfectivo o durativo: se considera la acción en su desarrollo, sin contemplar su final (*Iba* a clase hoy).

La voz

Indica si el sujeto realiza la acción o la padece.

Activa: el sujeto es agente, es decir, la causa de la acción (Juan *compra* pasteles).

Pasiva: el sujeto es paciente y el agente es otro, que puede o no ir expreso. Se construye con el verbo *ser* y el participio del verbo que se conjuga. El que produce la acción o **complemento agente** se añade al verbo con la preposición *por* (La manguera *es mordida* por el perro).

La **pasiva refleja** se forma con el verbo en 3ª persona, precedido de la partícula *se*, el sujeto paciente debe concordar con el verbo (*Se venden* pisos).

Verdi, Giuseppe

G iuseppe Verdi [1813-1901] fue un **compositor italia-no**, sobre todo de **óperas**. Destacan *Nabucco (1842)*, *Rigoletto (1851)*, *La Traviata (1853)*, *Aida (1871)*, *Otello (1886)*, *Falstaff (1893)*, etc. En sus óperas predomina la voz humana sobre la orquesta y los coros adquiern gran brillantez. Por la época en que desarrolló su obra y los temas populares que eligió se convirtió en un símbolo para los italianos que buscaban la independencia y unificación del país.

Vermont

Apodo
Estado de las montañas verdes

Flor del estado
Trébol silvestre

Pájaro del estado
Zorzalito colirrufo

Lema
Libertad y unidad

El zorzalito fue elegido el pájaro simbólico de estado de Vermont en 1941

Representación de Aida.

CURIOSIDADES

Viva VERDI

E n las paredes de las ciudades italianas los jóvenes independentistas que querían unificar el país bajo el rey del Piamonte escribían: *viva VERDI*, alabando al maestro y además haciendo propaganda política ya que esas iniciales correspondían a *Vittorio Emanuele, Re d' Italia* (Victor Manuel, Rey de Italia).

Paisaje de invierno a orillas del río Waits.

Vermont

V ermont es un **estado de EE UU**, emplazado en la región de Nueva Inglaterra. Su capital es **Montpelie**r. Presenta un suelo montañoso de norte a sur, atravesado por los montes Green, pertenecientes a los Apalaches. En la región abundan los lagos de origen glacial. Sus recursos económicos son muy variados: agricultura, ganadería, bosques, industria (maquinaria, papel, tejidos, productos químicos y alimenticios). Samuel de Champlain, de origen francés, fue el primer hombre blanco que se adentró en la región (1609). En 1791 fue admitido como estado de la Unión.

Verne, Julio

J ulio Verne [1828-1905] fue un escritor francés. Sus novelas suelen relatar largos y fantásticos viajes repletos de aventuras y en algunas se adelanta a ciertos avances científicos, construyendo máquinas y artefactos que llegarán a asemejarse a los reales. Entre sus obras destacan *Cinco semanas en globo* (1863), *Los hijos del Capitán Grant* (1867), *Veinte mil leguas de viaje submarino* (1870), *La vuelta al mundo en 80 días* (1873), etc.

El precursor

Muchas de las invenciones e ideas que aparecen en las obras de Verne se adelantan a su época. Los viajes a la Luna, el submarino, el helicóptero, los misiles, el aire acondicionado, los viajes alrededor del Mundo, los viajes en globo, etc. Algunos detalles presentan coincidencias realmente asombrosas como la cápsula en la que son enviados a la Luna los personajes de *De la Tierra a la Luna*, el hecho de que sea EE UU en competencia con Rusia el primer país en lograrlo, la trayectoria del cohete y sus órbitas, la forma de corregir la trayectoria mediante cohetes, el amerizaje sobre el mar en su regreso a la Tierra (que se efectúa en un lugar muy próximo a donde tuvo lugar el amerizaje de la primera nave real que orbitó sobre la Luna), etc.

Los anfibios son vertebrados de sangre fría, respiración pulmonar y cutánea, y reproducción por huevos. Pueden tener cola (urodelos) o no tenerla (anuros). Incluyen a las ranas, sapos, salamandras y tritones.

Salamandra

Anfibios

Rana

Peces

Los peces están recubiertos por escamas, tienen una respiración pulmonar y son ovíparos, es decir, se reproducen por huevos (⤳ reproducción). Ponen los huevos en el agua donde nacen sus crías. Sus extremidades son aletas.

Pez mariposa

Pez anemona

vertebrados

Los vertebrados son aquellos animales que tienen **columna vertebral** (⤳ esqueleto), una estructura ósea formada por unos huesos llamados vértebras, en cuyo interior se encuentra protegido el eje nervioso central, la médula espinal. Los vertebrados tienen, además, otra estructura ósea, el cráneo (⤳ hueso), que protege el cerebro. La columna vertebral actúa como eje central del cuerpo de los vertebrados, cuyo cuerpo se encuentra dividido en **cabeza**, **tronco** y **extremidades**. Los vertebrados son los animales más evolucionados del planeta y su sistema nervioso (⤳ cuerpo humano) está muy desarrollado. Están adaptados a todos los medios, existiendo vertebrados acuáticos y terrestres. La principal división de los vertebrados es la que los agrupa en **mamíferos**, **peces**, **aves** y **reptiles**. Hay unas 55 000 especies distintas de vertebrados.

Aves

Las aves tienen su cuerpo cubierto por plumas, una respiración pulmonar y su reproducción es ovípara (por huevos). Depositan los huevos en nidos y los incuban. Además tienen un pico córneo en su boca y las dos extremidades delanteras son alas que les permiten volar.

Albatros

Guacamaya

Mamíferos

Los mamíferos tienen una piel recubierta de pelo, su respiración es pulmonar y su reproducción vivípara, en la que el nuevo ser se desarrolla en el seno de la madre. Alimentan a sus crías mediante las mamas de la hembra, de ahí su nombre. Entre otras especies incluyen a los osos, monos, gatos, perros, leones, caballos, vacas, murciélagos, ballenas, etc.

Reptiles

Los reptiles tienen escamas epidérmicas, una respiración pulmonar y se reproducen por huevos (⤳ reproducción) que depositan en la tierra. Algunos tienen extremidades y otros no, como las culebras y serpientes.

Lagarto

Serpiente

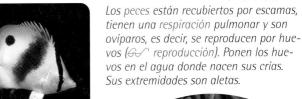

León

Gato

Oso

vestido

De una forma general, se llama vestido a las **prendas** que se ponen las personas para cubrir el cuerpo para abrigarlo y también para adornarlo. **Como prenda de abrigo**, el vestido varía en función del clima: en los países con temperaturas cálidas se utilizan prendas sueltas y frescas, mientras que en los lugares donde hace frío se superponen varias piezas y éstas se ajustan al cuerpo para conservar mejor el calor. **Como adorno**, las tendencias en el modo de vestir han ido evolucionando y cambiando con el paso del tiempo. Se ha pasado de las pieles que llevaron los hombres prehistóricos a la utilización de materiales novedosos como la lycra o el plástico en la época actual, pasando por la exageración del siglo XVIII. Además, el vestido ha sido un modo de establecer diferencias sociales, pues las clases altas siempre se han vestido con los mejores ropajes para así distinguirse del pueblo llano. En la actualidad, la **moda** es un negocio que genera grandes cantidades de dinero y en el que intervienen muchas personas: diseñadores, costureros, modelos, etc. Cada año, ciudades como París, el centro de la moda, Milán, Londres, Nueva York, Madrid o Barcelona organizan desfiles en los que se presentan las creaciones de los principales diseñadores para las diferentes temporadas.

*El desarrollo de la **industria textil** a partir de la revolución industrial permitió la creación de un mayor número de prendas y su difusión a un mayor número de gente. Los costos de la fabricación se redujeron y el precio de las prendas disminuyó. Sin embargo el oficio de **sastre** no desapareció y continuó realizando su tarea tradicional.*

*La **moda** es uno de los negocios más importantes de la sociedad moderna. Genera cantidades enormes de dinero y atrae a muchas personas. Diseñadores y modelos se han convertido en personajes célebres. Las tendencias han ido evolucionando volviéndose cada vez más vanguardistas y atrevidas.*

El vestido a lo largo de la historia

Vestidos acadios (hacia el tercer milenio a. C.). Los altos dignatarios del Próximo Oriente utilizaban trajes muy vistosos y coloridos. Las prendas se adornaban con flecos y era frecuente utilizar las pieles de animales exóticos.

*Los **romanos** usaban togas, largas telas enrolladas sobre el cuerpo, que cubrían un vestido más ligero. Además calzaban sandalias y utilizaban broches y fíbulas para sujetar las telas.*

Durante la Edad Media, las culturas occidentales adoptaron vestidos sencillos sujetados con cintos o correas, que en ocasiones cubrían con capas.

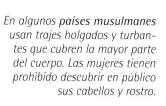

*En algunos **países musulmanes** usan trajes holgados y turbantes que cubren la mayor parte del cuerpo. Las mujeres tienen prohibido descubrir en público sus cabellos y rostro.*

*En el **siglo XIX** y a **principios del XX** los vestidos se hicieron más complejos y empleaban muchos adornos superfluos. Comenzó a existir un interés creciente por la moda.*

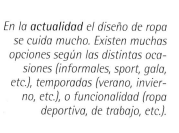

*En la **actualidad** el diseño de ropa se cuida mucho. Existen muchas opciones según las distintas ocasiones (informales, sport, gala, etc.), temporadas (verano, invierno, etc.), o funcionalidad (ropa deportiva, de trabajo, etc.).*

Vesubio

El Vesubio es el único volcán activo del continente europeo. Está en Italia, en la bahía de Nápoles. Tiene 1 277 m de altitud. Su primera erupción data del año 79 d. C. cuando una fuerte explosión provocó una lluvia de cenizas y lodo que arrasó las ciudades de Herculano y Pompeya, y causó la muerte a 2 000 personas. Posteriores erupciones se han producido en 1631, en 1794, en 1906 y varias explosiones menores a lo largo del siglo XX.

La Vía Láctea se observa desde la Tierra como una banda luminosa que cruza el cielo nocturno, y se hace especialmente visible en las noches claras y sin Luna del verano. Se le calcula un diámetro de 100 000 años luz y un número de estrellas que ronda los 200 000 millones.

La ciudad romana de Pompeya fue completamente arrasada por la erupción del Vesubio. Muchos habitantes perecieron bajo la lava y las cenizas.

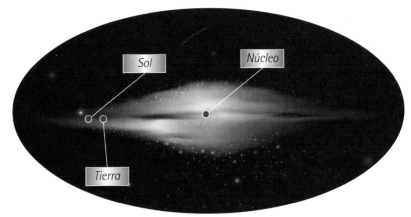

La Tierra ocupa una posición alejada del núcleo o centro de la galaxia, donde las estrellas están más agrupadas y son del tipo gigante roja. Existen muchas teorías diferentes sobre la forma y estructura de la galaxia, pero generalmente se acepta su forma de espiral y su rotación en el sentido de las manillas del reloj.

Vía Láctea

La Vía Láctea es una galaxia, es decir, un grupo de estrellas, que tiene forma de disco, dentro de la cual se encuentra el Sistema Solar. Esta galaxia también se conoce con el nombre de Camino de Santiago, y aparece como una banda luminosa que cruza el cielo. La Vía Láctea es una galaxia espiral cuyo centro está formado por estrellas muy agrupadas y una serie de brazos donde las estrellas se encuentran más alejadas, separadas por nubes interestelares de polvo y gas. Muchas de las estrellas que componen la Vía Láctea son tan lejanas que no se observan a simple vista y se perciben sólo como una luz difusa. En la región central se cree que existen restos de estrellas o, incluso, un agujero negro. La Vía Láctea se mueve con un movimiento de rotación en el sentido de las agujas del reloj y su velocidad es mayor cuanto menor es la distancia del centro de la galaxia.

CURIOSIDADES

Una galaxia muy filosófica

Fue el filosofo E. Kant el que en 1755 formuló la teoría sobre el sistema de estrellas que gira en torno a un mismo plano, que es el que nosotros identificamos como la Vía Láctea. También afirmó que algunas de las nebulosas observables desde la Tierra eran galaxias similares a la nuestra. Aún tuvieron que transcurrir cien años para tener una idea del tamaño de la Vía Láctea.

Vicente, Gil

G il Vicente [1465-1536] fue un **escritor portugués**, considerado el creador del teatro en esta lengua. Escribió 44 obras, aunque 11 de ellas en español. Algunas fueron prohibidas por la Inquisición porque hacían críticas de ciertos aspectos de la sociedad de la época. Escribió, entre otras, *Auto de la sibila Casandra*, *Farsa de los físicos*, *Don Duardos*, etc.

vicuña

L a vicuña es un mamífero de la familia de los camellos, parecido a la llama, sin cuernos, con orejas puntiagudas y derechas y extremidades muy largas. Su cuerpo está cubierto de un pelo largo y finísimo. Vive salvaje en manadas en los Andes de Perú y de Bolivia. Actualmente se halla en peligro de extinción.

La vicuña es un herbívoro que se alimenta exclusivamente de hierbas que come en pastizales de los altiplanos de los Andes. Las hembras pueden tener una sola cría. El período de gestación es de 11 meses y el de lactancia dura otros 6 meses.

*La **lana** de vicuña es muy cotizada en el mercado por su extremada finura y el calor que proporciona. El tejido elaborado con ella resiste muy bien las bajas temperaturas y ya los incas lo tenían en gran aprecio. De un ejemplar se pueden obtener aproximadamente entre 200 y 300 g de lana.*

vídeo

E l vídeo o video es un **sistema de grabación de imágenes** por medios electromagnéticos, de manera semejante a como se graban sonidos en las cassettes. Las imágenes captadas por una **cámara de vídeo** producen señales eléctricas que se almacenan en la **cinta magnética de vídeo**, a la que también se denomina video. Al reproducir se regeneran las señales originales, que se traducen en la pantalla de televisión en imágenes y sonidos. Al contrario que las películas de cine, las de vídeo no necesitan revelado y, por tanto, una vez grabadas pueden reproducirse instantáneamente. De esta forma de grabación se derivan aplicaciones como las **videoconferencias**, a través de ordenadores con pequeñas cámaras acopladas, con las que se puede establecer una comunicación visual con la persona con la que se está hablando; las **videocámaras** de vigilancia y seguridad; etc.

La introducción del vídeo doméstico, tanto para la reproducción como para la grabación, en el mercado fue un revulsivo para el ocio y el entretenimiento de muchas familias. Además su utilización pedagógica en centros de enseñanza lo convierte en una herramienta muy útil para el aprendizaje.

El vídeo también posibilita la realización de grabaciones con cámara de forma sencilla y con suficiente calidad para su posterior reproducción en el aparato reproductor. Las cámaras se fabrican cada vez más reducidas, facilitando así su manejo y transporte. De esta forma se puede tener un recuerdo en imágenes de acontecimientos como bodas, bautizos y otros acontecimientos a un precio asequible.

Accesorios del vídeo

Botón de grabación · Iluminación trasera · Entrada de datos. Contador

Micrófono

Selector de programa

Encendido/ Apagado

Videocámara portátil

Micrófonos

Focos

Equipo de edición

vidrio

E l vidrio es un **material** fabricado a partir de **sílice** (un compuesto formado por un elemento quími- co llamado silicio y oxígeno) que se funde a altas temperatu- ras junto con otras sustancias produciendo un material duro pero frágil. El vidrio suele ser transparente, aunque también puede ser traslúcido u opaco. Su color es variable y depende de los ingredientes que se añadan durante su preparación. El vidrio fundido se puede moldear para darle distintas formas. Al enfriarse se solidifica. La **fabricación de vidrio** se viene reali- zando desde antes del 2000 a. C., usándose tanto como objeto decorativo como para hacer útiles de uso doméstico.

Los artesanos del vidrio reali- zan piezas de gran belleza y delicadas formas. Entre otros son famosos los cristales de Bohemia (República Checa), Baccarat (Francia), Orrefors y Kosta (Suecia), Val-Saint- Lambert (Bélgica), Leerdam (Países Bajos) o los de Venecia (Italia).

La fabricación de objetos de vidrio requiere un pro- ceso bastante complejo que incluye el fundido, soplado y moldeado de las piezas. Para hacerlo a gran escala se utilizan grandes hornos, moldes y cadenas de producción en las que se comprue- ban los posibles defectos de las piezas.

Viena

Viena es la **capital de Austria**. Está situada a orillas del Danubio. Es el centro económico de Austria, con industria alimentaria, eléctrica, química, textil, papelera, etc. Además, es la sede de la OPEP (Organización de Países Exportadores de Petróleo). Viena cuenta con importantes edificios: la catedral gótica de San Esteban, con una torre de 112 m de altura, la iglesia de San Carlos Borromeo, o los palacios de Schönbrunn y Belvedere. La vida cultural de Viena siempre ha sido muy rica. En esta ciudad han vivido grandes músicos como Mozart o Beethoven. Hoy sigue habiendo mucha tradición musical y hay varias salas de conciertos: el Teatro de Viena, el Teatro de la Ópera, etc.

El palacio de Schönbrunn fue construido sobre los restos de un pabellón de caza y fue residencia de verano del emperador y su familia. En él se pueden admirar recintos como el Museo de las Carrozas, hermosos jardines y el zoo que, fundado en 1752, es el más antiguo del mundo.

*La **Riesenrad** o noria gigante en el parque de atracciones del Prater. Esta noria, hecha con vagones de ferrocarril, es uno de los miradores más famosos de Viena. Fue construida en 1897 y tiene 67 m de altura. En ella se rodaron escenas de la película de Orson Welles El tercer hombre.*

La catedral gótica de San Esteban, consagrada en 1339, está construida sobre una antigua iglesia románica. Se caracteriza por sus columnas finas y esbeltas que proporcionan amplitud en el interior.

viento

El viento se produce por el movimiento horizontal del aire de la atmósfera, por diferencias de **presión atmosférica** (☞ aire). La presión normal es de 1 013 milibares (unidad de medida de la presión atmosférica), si la presión aumenta o disminuye por encima o por debajo de esta cifra, hablaremos de altas o bajas presiones. Sabemos que el aire caliente es más ligero y tiende a ascender, mientras que el frío es más pesado y tiende a descender, provocando movimientos verticales del aire. Mientras esto ocurre, en las capas de aire cercanas a los procesos de calentamiento, se producen bajadas de presión; y en las capas cercanas a los procesos de enfriamiento, subidas de presión, lo que conduce a choques de aire, es decir, viento. La **velocidad** se mide con los anemómetros (☞ meteorología); el **rumbo** o dirección con una veleta y se puede expresar con la llamada rosa de los vientos. Su **fuerza** se expresa de diferentes maneras, la más conocida es la escala marítima: calma, marejada, temporal, etc. Hay gran variedad de vientos: **alisios**, vientos dominantes que se producen en las zonas cercanas al ecuador donde la temperatura del aire es mayor; monzones que son vientos estacionales, se producen entre los océanos y los continentes a consecuencia de los cambios de temperatura producidos en las estaciones; o el **mistral** y el **pampero**, vientos locales producidos por los cambios de temperatura diarios en determinadas zonas.

Movimientos del aire en la atmósfera

El aire se mueve como si fuera un remolino de agua, atraído por las diferencias de presión que provocan el ascenso o descenso del aire, dependiendo si la temperatura es alta (ascenso) o baja (descenso).

*Si la presión es baja (**ciclón**), el aire circula en sentido contrario a las agujas del reloj. Este movimiento coincide con inestabilidad atmosférica.*

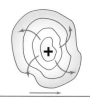

*Si la presión es alta (**anticiclón**), el aire circula en el sentido de las agujas del reloj, coincidiendo, generalmente, con un tiempo atmosférico estable.*

*La energía que genera el viento se aprovecha desde la antigüedad para mover las palas de los molinos que convierten en harina el trigo. También en la actualidad las zonas más ventosas aprovechan la **energía eólica** (☞ energías alternativas) para producir electricidad.*

Vietnam

Vietnam es un país del sudeste de Asia. Presenta forma alargada y estrecha, y es muy montañoso; las únicas zonas llanas se corresponden con los deltas del río Rojo, en la llanura de Tonkin, y del río Mekong, en la llanura de la Cochinchina. El **clima** se caracteriza por las temperaturas elevadas y las lluvias frecuentes, influencia de los monzones. El principal apoyo económico del país es la agricultura: cultivo de arroz, maíz, café, té y trigo. Se completa con la pesca, la explotación maderera y los yacimientos de carbón, oro, hierro y petróleo. A finales del siglo XIX, Vietnam fue colonizado por Francia, época en la que recibe el nombre de **Indochina**. En los años 20 surgieron movimientos independentistas, como la Juventudes Vietnamitas, de corte comunista, creadas por **Ho Chi Minh**, núcleo del futuro Partido Comunista, que durante la II Guerra Mundial se convirtió en la principal resistencia contra la ocupación japonesa. Cuando estos se fueron (1945), Ho Chi Minh proclamó la **independencia** del país, pero los franceses regresaron y restablecieron su control en la zona sur (la Conchinchina), lo que provocó la guerra de Indochina que finaliza en 1954 con la división temporal del país en **Vietnam del Norte** y **Vietnam del Sur**. En 1956 se tenía prevista la reunificación, pero el Sur (con un régimen anticomunista respaldado por EE UU) no quiso unirse al Norte (con un gobierno comunista ayudado por China y la URSS). Los enfrentamientos comenzaron y se convirtieron en una guerra abierta con la entrada de EE UU en 1964. Después de 18 años de ensangrentadas batallas, los acuerdos de paz de 1975 supusieron la retirada de las tropas norteamericanas, y la ayuda por parte de EE UU a la reunificación y reconstrucción de la República Democrática de Vietnam.

Catedral de Ho Chi Minh. Durante los años en que Vietnam fue colonia francesa la religión predominante en el país fue la católica. La influencia francesa se puede observar aún hoy día en muchos lugares, usos y costumbres.

La guerra de Vietnam

Inquietado por el avance comunista (🔗 comunismo) en Vietnam, EE UU decidió intervenir militarmente en 1964. La guerrilla del Vietcong en Vietnam del Sur recibía apoyo de Vietnam del Norte por lo que este país fue bombardeado por los estadounidenses desde 1965. Sin embargo pronto surgieron voces en contra de la guerra que fueron aumentando cuando las bajas estadounidenses comenzaron a llegar a su país. La presión de Vietnam del Norte logró que los americanos se retirasen definitivamente en 1975. La guerra tuvo un enorme impacto en toda una generación de ambos bandos. Recientemente ambas naciones reanudaron relaciones diplomáticas y veteranos del conflicto visitaron pacíficamente Vietnam.

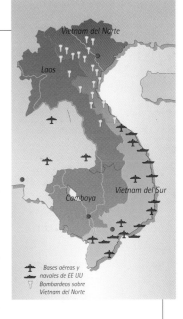

*Bases aéreas y navales de EE UU
Bombardeos sobre Vietnam del Norte*

Por las calles de Ho Chi Minh, la antigua Saigón, circulan a diario miles de transeúntes que emplean motocicletas y bicicletas como medio de transporte.

vikingos

Vikingos era el nombre con el que se conocía a algunos pueblos del norte de Europa, daneses, suecos y noruegos, que desde el año 800 hasta el 1100 realizaron numerosas expediciones por el occidente europeo. Tenían fama de ser aguerridos piratas que iban asolando y destruyendo los lugares que asaltaban a bordo de sus peculiares naves, llamadas **drakkar**. Sin embargo, también se sabe que desarrollaron una rica cultura, que eran hábiles artistas, y que recitaban poemas y relatos de aventuras. La época de poder vikingo duró poco, porque fueron asimilados por otros pueblos más preparados y con mayor experiencia que ellos. Se les conoce también como normandos, es decir, hombres del norte. Los que se asentaron en el norte de Francia, dieron nombre a la región: Normandía.

Los barcos vikingos se llamaba drakkar. Eran de remo y contaban con una vela auxiliar. Su proa estaba adornada con la cabeza de un dragón. Las hazañas e historias de los vikingos se narran en una serie de relatos históricos llamados sagas.

Enterramiento vikingo con forma de drakkar.

Leyenda

Una leyenda vikinga trataba de un gran árbol llamado Fresno de Yggdrasil, que sostenía el cielo y bajo el que estaba el hogar de los dioses. Sus raíces cubrían el reino de los hombres, el de los Gigantes de la Escarcha y el de los muertos (☞ mitología nórdica).

vinilo

El vinilo es un plástico muy popular debido a que se utilizaba para fabricar los llamados **discos de vinilo**, en los que se recogían sonidos, generalmente música. Para su grabación, una aguja metálica era activada por las ondas sonoras y, al recorrer los surcos de un disco llamado disco maestro, grababa en él una señal en cada punto. Posteriormente, a partir de este disco maestro se realizaba un molde metálico, que se usaba para fabricar los discos de vinilo. Para reproducir los sonidos grabados en un disco de vinilo se utilizan los **gramófonos** y **tocadiscos**, que son aparatos provistos de una aguja que recorre los surcos del disco a medida que éste gira, haciendo vibrar una membrana que produce ondas sonoras iguales a las originales. Con la aparición del disco compacto (☞ CD), los discos de vinilo han desaparecido prácticamente del mercado.

vino

El vino es una bebida alcohólica (☞ alcohol) que se elabora a partir del **zumo de las uvas**. El proceso de elaboración del vino comienza con el pisado de la uva. Después, se suelen añadir azúcares y ácidos para acelerar la fermentación, que es un conjunto de reacciones químicas que producen la formación de alcoholes. Después, el vino se deja madurar, durante un tiempo más o menos largo, en barriles de madera. Existen distintos tipos de vinos en función de la uva empleada, así se habla de vino **blanco**, **rosado**, **clarete** y **tinto**. El origen del vino se remonta a miles de años atrás y tuvo lugar en la zona mediterránea, donde aún se encuentran los mejores productores de esta bebida en países como España, Italia, Grecia, Francia y Portugal.

Las variedades existentes en el mercado de vinos son innumerables. Hay diferentes caldos que pueden tener un sabor y un olor más fuerte o más suave, más o menos ácidos o con más o menos cuerpo, etc. También hay vinos espumosos como el cava, en España, y el champagne, en Francia.

Vinos del mundo

Alemania	Mosela
Argentina	Mendoza
	Río Negro
	Salta
	San Juan
España	Cava
	Jerez
	Penedés
	Priorato
	Ribera del Duero
	Rioja
	Rueda
	Toro
	Txakolí
Estados Unidos	Napa
	Sonoma
Francia	Borgoña
	Burdeos
	Champagne
	Jura
	Loira
	Provenza
	Ródano
Hungría	Tokay
Italia	Chianti
	Marsala
	Toscana
México	Baja California
	Parras
Portugal	Madeira
	Oporto

Virginia

El perro foxhound fue elegido como el perro del estado de Virginia en 1966.

Virginia es un **estado de EE UU**. La capital es **Richmond**. Virginia se halla dividido en tres zonas: la llanura costera, la meseta del Piedmont (altitud máxima de 1 200 m) y los montes Apalaches (de 1 743 m de altitud máxima). Sus principales actividades económicas son la agricultura basada en algodón, cereales y tabaco; ganadería (vacuno, lanar) y minería (manganeso, piritas, hierro,). Entre sus industriaa sobresalen las de productos químicos, siderurgia, textil, construcciones navales y manufacturas de tabaco. En 1584 fue colonizado por Walter Raleigh y en 1624 pasó a formar parte de la corona británica. Virginia desempeñó un importante papel en la guerra de Independencia americana y en 1788 quedó constituido en estado de la Unión. Fue escenario de batallas decisivas durante la guerra de Secesión.

Virginia es una gran atracción turística por sus contribuciones históricas y culturales al desarrollo de los EE UU.

Virginia

SÍMBOLOS DEL ESTADO

- **Apodo**
  Viejo Dominio
- **Flor del estado**
  Cornejo
- **Pájaro del estado**
  Cardinal
- **Lema**
  Siempre contra los tiranos

Vista de la ciudad de Richmond, capital de Virginia.

Virginia Occidental

Virginia Occidental es un **estado de EE UU**, en la región central atlántica. La capital es **Charleston**. En este estado se encuentran los montes Allegheny, atravesados por los ríos Ohio, Potomac y Shenandoah. Sus recursos económicos son agricultura (patatas, frutas, cereales, tabaco, pastos), selvicultura, minería (carbón, petróleo, hierro, gas natural) e industria (mecánica, siderometalúrgica, de cerámica y vidrio. Colonizado hacia 1727, constituyó, junto con Virginia un único estado hasta 1862. Fue anexionado a la Unión en 1863.

El laurel fue elegido la planta simbólica del estado de Virginia Occidental en 1903.

Los Apalaches, cordillera de suaves elevaciones que cruza la costa este del país, es la única elevación montañosa del paisaje de las dos Virginias siendo el resto bastante llano.

El Capitolio de la ciudad de Charleston.

Virginia Occidental

- **Apodo**
  Estado de las montañas
- **Flor del estado**
  Azalea
- **Pájaro del estado**
  Cardinal
- **Lema**
  Los montañeros siempre son libres

virus

Los virus son **microorganismos**, es decir, seres vivos de muy pequeño tamaño, que producen numerosas enfermedades en plantas, animales y seres humanos, algunas de ellas muy graves, como el sida, la hepatitis o ciertos tipos de cáncer. Los virus fueron descubiertos a finales del siglo XIX por **Ivanowski**. Todos los virus son parásitos intracelulares, ya que necesitan introducirse en el interior de las células del organismo donde parasitan para poder reproducirse. Su ciclo vital consta de dos **fases** bien diferenciadas: una **extracelular**, en la que el virus se encuentra fuera de las células, en estado inactivo, conociéndose con el nombre de virión; y una fase **intracelular**, en la que el virus penetra en el interior de las células, vegetales o animales; allí parasita, utilizando sus enzimas para replicarse.

Estructura de un virus

Los virus están constituidos únicamente por un ácido nucleico, el ADN (☞ bioquímica) o el ARN (ácido ribonucleico), rodeado por una cubierta protectora de proteínas, la cápsida.

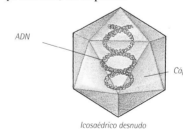

ADN

Cápsida

Icosaédrico desnudo

El descubrimiento

El botánico ruso **Ivanowski**, al estudiar una enfermedad de las plantas de tabaco, descubrió en 1892 la existencia de unas partículas microscópicas que producían la enfermedad y que podían pasar a través de filtros muy finos de unas hojas del tabaco a otras, ya que simplemente rociando las hojas de una planta sana con el jugo de las hojas de una enferma se transmitía la enfermedad.

virus informático

Un virus informático es una serie de instrucciones que se introducen en un ordenador y que, al ser utilizadas, provocan un mal funcionamiento. Los virus se introducen en programas informáticos y, así, cada vez que se acciona el programa, se ejecuta el virus. Existen programas disponibles en el mercado denominados **antivirus**, que rastrean las series de instrucciones que conforman un virus y anulan su eficacia. Actualmente, casi todos los ordenadores están provistos de antivirus, aunque siempre aparecen nuevos virus imposibles de detectar, ya que se calcula que se inventan dos nuevos virus cada día por eso es necesario actualizarlos constantemente. Los virus se propagan a través de disquetes, CD-ROM, adjuntos de los correos electrónicos, páginas de Internet, etc. con ficheros infectados.

Tipos de virus informáticos

Los virus informáticos son programas creados para dañar a otros ordenadores. Pueden ser de diferentes tipos: los **gusanos** se reproducen y autopropagan, como el *I Love You*, que afectó a miles de ordenadores de todo el mundo, al autoenviarse a todas las direcciones de la agenda de correo electrónico; y *Blaster* que se autopropagaba por la red. El **caballo de Troya** recibe este nombre por su semejanza con el caballo mitológico (–Guerra de Troya), bajo una apariencia de juego de ordenador u otra utilidad, llega a destruir toda la información del disco duro, al jugar o utilizar la aplicación. En la **bomba lógica** el virus se activa al darse una combinación determinada, como una fecha por ejemplo, es lo que ocurre con el famoso Viernes 13.

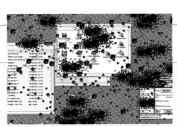

Falsos virus

Los llamados *jokes* no son virus sino bromas, que tienen por objeto hacer pensar a los usuarios que han sido infectados por un virus. Son programas que simulan los efectos de virus más o menos destructivos: las letras de los documentos desaparecen, un perro se come el escritorio, eliminación de los ficheros de disco duro, avisos de destrucción, apertura de la puerta del CD-ROM, etc. Ante esto lo mejor es no perder la calma.

vitaminas

Las vitaminas son un grupo de sustancias presentes en los **alimentos** en pequeñas cantidades, que resultan necesarias para el crecimiento y el equilibrio de las funciones vitales. Las vitaminas se nombran mediante letras mayúsculas (A, B, C, D, etc.) y un número que indica el orden en que fueron descubiertas (C1, C2, etc.). La ausencia o escasez de vitaminas en la alimentación produce las llamadas **avitaminosis** o enfermedades carenciales, como el raquitismo o el escorbuto.

Vitaminas liposolubles

Son las vitaminas que se disuelven en lípidos (grasas).

VITAMINA A

Conocida también como **retinol**. Se encuentra en el pescado, hígado de animales y en la leche y derivados. También está en muchos vegetales como zanahorias y tomates. La falta de esta vitamina produce alteraciones visuales.

VITAMINA D

Se encuentra en los productos lácteos y aceites de hígado de pescado. También la puede producir el cuerpo a través de la luz solar. Aporta calcio a los huesos, por eso su falta puede ocasionar raquitismo en los niños.

VITAMINA E

También llamada **tocoferol**. No es frecuente su deficiencia porque la producen las bacterias intestinales. También se encuentra en semillas, vegetales y aceites vegetales. Su falta produce anemia.

VITAMINA K

Se encuentra en las hojas verdes de vegetales, en el hígado y también la producen las bacterias del intestino. Es importante para la coagulación de la sangre, es decir para que se curen las heridas. Los recién nacidos pueden tener deficiencia de esta vitamina al no tener completamente desarrolladas sus bacterias intestinales.

Vitaminas hidrosolubles

Son las vitaminas que se disuelven en agua.

VITAMINA C

Se encuentra en las frutas (cítricos especialmente) y verduras frescas y en la leche materna. Su falta produce el escorbuto.

VITAMINA B

Es un complejo de vitaminas que aparecen juntas en la levadura, el pan integral, la carne fresca, etc. Las más importantes son la B_1 (tiamina) aparece en los cereales integrales, la leche, etc.; su carencia provoca el beri-beri. B_2 (riboflavina) está en la carne, pescado, huevos, etc.; su falta retrasa el crecimiento. B_9 (ácido fólico) se encuentra en las espinacas; su carencia afecta también al crecimiento.

Vitamina E en pastillas. La medicina moderna facilita la posibilidad de incrementar el consumo de vitaminas en adultos o niños con carencias concretas a través de su ingestión directa de forma sana y eficaz.

volcán

Los volcanes son aberturas en la superficie terrestre sobre las que se van acumulando diferentes materias que provienen del interior de la Tierra. Esta materia se llama **magma** antes de ser expulsada y **lava** cuando fluye al exterior. En un volcán se pueden distinguir varias partes: el **foco**, que es el lugar en el que están los materiales que saldrán al exterior; la **chimenea** o conducto que comunica el foco con la superficie; el **cráter**, extremo exterior de la chimenea; y el **cono**, que es la zona que rodea a la abertura y que está formada por la acumulación de los elementos expulsados por el volcán. Estos elementos pueden ser gases: hidrógeno, metano, vapor de agua, nitrógeno y gas carbónico; líquidos que se precipitan por las laderas del volcán; y sólidos, como las cenizas que van acumulándose alrededor del cráter. Sobre el origen de los volcanes, las teorías han ido evolucionando en los últimos años. Durante mucho tiempo los geólogos pensaban que el desencadenante era la entrada de agua en el interior de la Tierra sometida a elevadas temperaturas. Últimamente, se relaciona el **vulcanismo** con la actividad de las placas terrestres (↝ tectónica de placas). Los volcanes pasan por tres fases: **volcán en activo**, si está en erupción o ha entrado hace poco; **volcán dormido**, si no está en activo pero puede presentar actividad en cualquier momento; y un **volcán apagado**, si está inactivo y no se espera que vuelva a entrar en erupción. Muchos volcanes nacen en el fondo del mar. Así surgieron el Etna y el Vesubio, y también muchas islas del Pacífico.

Tipos de vulcanismo

Lago de lava

Tipo hawaiano

Tipo estromboliano

VULCANISMO CENTRAL

Tipo vulcaniano

Tipo peleano

VULCANISMO FISURAL

Agua caliente

Pilow-lavas

VULCANISMO SUBMARINO

Vivaldi, Antonio

Antonio Vivaldi [1678-1714] fue un **compositor italiano**. Mostró preferencia por el violín, instrumento que tocaba con gran maestría. Su obra es muy abundante, aunque, sin duda, su composición más conocida es *Las cuatro estaciones*. Es autor también de sinfonías, sonatas, óperas, conciertos, etc.

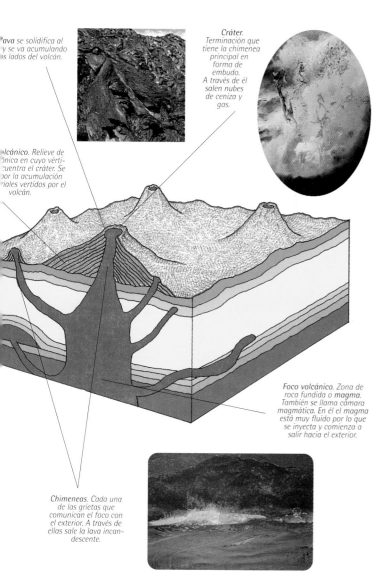

ava se solidifica al y se va acumulando os lados del volcán.

Cráter. Terminación que tiene la chimenea principal en forma de embudo. A través de él salen nubes de ceniza y gas.

lcánico. Relieve de ónica en cuyo vérti-cuentra el cráter. Se por la acumulación riales vertidos por el volcán.

Foco volcánico. Zona de roca fundida o magma. También se llama cámara magmática. En él el magma está muy fluido por lo que se inyecta y comienza a salir hacia el exterior.

Chimeneas. Cada una de las grietas que comunican el foco con el exterior. A través de ellas sale la lava incan-descente.

La erupción del Krakatoa

E l 26 de agosto de 1883 se produjo una de las explo-siones volcánicas más grandes que se recuerda. La isla de Krakatoa, entre Sumatra y Java (Indonesia), reventó literalmente provocando una lluvia de cenizas que alcanzó los 50 km de altura. En el mar se produjo un maremoto con olas de 35 m de altura que arrasaron el litoral cercano causando 36 000 víctimas en total. La erupción había comenzado el 20 de mayo. Seis meses después de la catástrofe aparecieron ¡en las costas de África! restos de la isla con animales vivos y plantas sobre ellos.

volumen

E l volumen es el espacio que ocupa un cuerpo. El volumen se mide en unidades cúbicas, como el metro cúbico, el decímetro cúbico y el centímetro cúbico. Un **metro cúbico** es el espacio ocupado por un cubo cuyas aris-tas o lados miden un metro. El volumen de los cuerpos líqui-dos se puede medir también en litros. Un litro equivale al volumen de 1 decímetro cúbico.

Cilindro oblicuo
$V = B\ h$
$b = base$
$h = altura$

Esfera
$V = 4/3\ p\ r^2$
$r = radio$
$p = 3,14$

Pirámide
$V = 1/3\ B\ h$
$B = área\ de\ la\ base$
$h = altura$

Cubo
$V = a^3$
$a = arista$

Cono
$V = 1/3\ B\ h$
$B = área\ de\ la\ base$
$h = altura$

Paralelepípedo
$V = b\ h$
$b = base$
$h = altura$

Cono oblicuo
$V = 1/3\ B\ h$
$B = área\ de\ la\ base$
$h = altura$

Cilindro
$V = \pi\ r^2\ h$
$r = radio$
$h = altura$
$\pi = 3,14$

Prisma recto
$V = B\ h$
$B = área\ de\ la\ base$
$h = altura$

VOZ

La voz es el conjunto de **sonidos** producidos en la laringe al salir el aire a través de ella. El aire, expulsado hacia el exterior en la espiración (∿ respiración), mueve las **cuerdas vocales**, situadas en esa parte de la garganta, produciendo sonidos. Estos sonidos se transforman en palabras del lenguaje mediante la **articulación**, que consiste en una serie de movimientos y posiciones de los labios, la lengua, los dientes, el paladar y las mandíbulas, que producen variaciones en el flujo del aire que sale y, por tanto, originan distintos sonidos. Muchos animales son capaces de producir voz y de utilizarla para comunicar mensajes simples, como los de agresión o miedo, pero sólo el ser humano es capaz de producir un lenguaje.

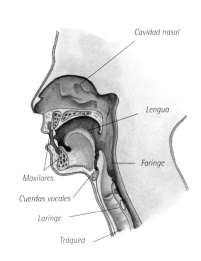

Cavidad nasal

Lengua

Faringe

Maxilares

Cuerdas vocales

Laringe

Tráquea

La onda sonora

La **fonética** describe y clasifica los sonidos del lenguaje, su finalidad es decirnos cómo se articula un sonido determinado y qué propiedades acústicas tiene su onda sonora. Estas cualidades son: el tono, la intensidad, la cantidad y el timbre. El **tono** es la frecuencia o número de vibraciones por segundo, es decir, las veces que se repite en un segundo el ciclo completo de la onda. A un mayor número de vibraciones le corresponde un tono más agudo, y cuantas menos vibraciones, más grave. Se mide en herzios (Hz). La **intensidad** es la fuerza con la que se emite un sonido. Se mide en decibelios. La **cantidad** es la duración del sonido. El **timbre** depende del objeto que vibra. Por ejemplo si tocamos una misma nota musical con la misma intensidad y el mismo tono en dos instrumentos musicales distintos.

Onda sonora

Sonido A

Sonido B

A igual intensidad y duración, el sonido A es más agudo que el sonido B, pues produce un mayor número de vibraciones en el mismo período de tiempo.

El canto y los tipos de voz

MASCULINAS:

Tenor: Es la voz masculina más **aguda**. Se clasifica en heroico, lírico y bufo. Entre los más famosos están Luciano Pavarotti, Plácido Domingo, José Carreras, etc.

Barítono: Voz intermedia entre tenor y bajo. Menos profunda que el segundo pero capaz de dar notas más altas. Entre los más famosos están: Piero Capucilli, Ruggero Raimondi y Giuseppe Taddei.

Bajo: Es la voz masculina más profunda. Se clasifica en serio, cantante y bufo. Entre los más famosos están: Feodor Chaliappin y Nicolás Ghiaurov.

FEMENINAS:

Soprano: La voz humana más aguda. Se clasifica en dramática, lírica y coloratura. Entre las más famosas están: Maria Callas, Victoria de los Ángeles y Montserrat Caballé.

Mezzo-soprano: La voz intermedia de las mujeres. Entre las más famosas están: Brigitte Fassbeander y Teresa Berganza.

Contralto: La voz más baja de las mujeres. Entre las más famosas están: Anne Sofie von Otter y Elena Obraztsova.

CURIOSIDADES

A voz en grito

El grito más potente que se ha registrado fue de una potencia de 119 decibelios. Curiosamente, y al contrario de lo que cree la gente un mayor peso corporal no proporciona una mayor potencia de voz.

Wagner, Richard

Richard Wagner [1813-1883] fue un **compositor ale-mán**. En su juventud se sintió atraído por la literatura y a los catorce años escribió su primera obra, a la que, animado por su admiración a Beethoven, le puso música. Dirigió varios coros y orquestas. Wagner es el creador de la ópera alemana, en la que introdujo varias innovaciones. Sus principales obras son *Rienzi* (1842), *El buque fantasma* (1843), *Lohengrin* (1850), *Tristan e Isolda* (1865), *El anillo de los Nibelungos* (1852-76), *Los maestros cantores de Nüremberg* (1868) y *Parsifal* (1882).

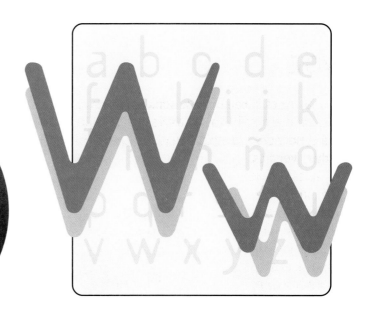

La tetralogía del anillo

La obra cumbre de Wagner es una tetralogía titulada *El anillo de los Nibelungos* (1852-1876) y que se compone de las óperas tituladas: *El oro del Rhin*, *La Walkiria*, *Sigfrido* y *El ocaso de los dioses*. Esta magna obra le llevó muchos años de trabajo y esfuerzos. Está basada libremente en las leyendas germánicas recogidas en *El cantar de los nibelungos*. Desarrolla el principio del *leitmotiv*, un motivo musical que representa a un personaje o situación y que se repite cada vez que en la obra se alude a éste. Se representa anualmente en un festival de verano celebrado en la villa de Bayreuth (Baviera, Alemania) en la que Wagner hizo construir un teatro especial, el *Festspielhaus*, para su representación. La historia que narra es la de los dioses del Walhala (🌀 Mitología nórdica) y como se destruyen dejándose arrastrar por las pasiones humanas para terminar sucumbiendo en un trágico final. La música de esta tetralogía ha sido utilizada en numerosas películas: *Apocalipsis now*, *Excalibur*, etc. Quizás uno de los pasajes más célebres sea el de *La cabalgata de las Walkirias*.

Warhol, Andy

Andy Warhol [1928-1987] fue un **artista estadounidense** que se dedicó a la pintura, el cine y la publicidad. Es el creador del **pop-art**, una corriente artística en la que se toman elementos de la vida de cada día para convertirlos en obras de arte. En 1952 realiza su primera exposición en Nueva York, con dibujos para el escritor Truman Capote. Después seguirían exposiciones en museos de Amsterdam, Chicago, París y Londres.

Warhol visto por Arnold Newman. La influencia de Warhol sobre el arte vanguardista de la segunda mitad del s. XX fue muy importante. Sus obras se cotizan entre las más valiosas de subastas y exposiciones.

25 Marilyns. *La obra de Warhol está basada en elementos de la vida cotidiana, como las latas de la sopa Campbell, iconos cinematográficos, etc. Estos temas encierran una crítica al sistema de la sociedad consumista y derrochadora.*

Washington

Washington es la **capital de Estados Unidos**. Está situada en la orilla izquierda del río Potomac, en el distrito de Columbia. La vida en Washington gira en torno a la **Casa Blanca** y al **Capitolio**, que es donde se encuentra en **Parlamento**. Además, aquí tienen su sede otros organismos como el Banco Mundial o el Fondo Monetario Internacional (FMI). La ciudad tiene una distribución muy regular, con amplias avenidas que se entrecruzan. Además de la Casa Blanca y el Capitolio, hay otros monumentos como el *Lincoln Memorial*, el monumento a Georges Washington o el monumento a Thomas Jefferson. En el edificio de los Archivos Nacionales se exhiben importantes documentos, como la Declaración de Independencia y la Constitución de EE UU. Washington fue fundada en 1800 y debe su nombre al primer presidente de EE UU.

La **Casa Blanca** es la residencia oficial del presidente de EE UU. Se llama así porque está construida en piedra de este color. Tiene tres pisos y más de 100 habitaciones. Fue destruida por los ingleses en la guerra de 1812 y reconstruida pintada de blanco.

El Lincoln Memorial *es uno de los monumentos más emblemáticos de la capital. El presidente Abraham Lincoln está considerado uno de los más importantes de la historia del país. Una enorme estatua suya sobre un gran pedestal es la parte principal del monumento.*

Obelisco dedicado al presidente Washington.

El Capitolio es la sede del Parlamento de EE UU. Está situado en la cima de una colina, por lo que es el edificio más visible de la ciudad. Su cúpula mide 90 m de altura.

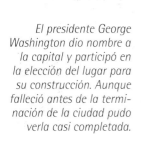

El presidente George Washington dio nombre a la capital y participó en la elección del lugar para su construcción. Aunque falleció antes de la terminación de la ciudad pudo verla casi completada.

Washington a mediados del s. XIX. Entonces era ya una ciudad populosa en la que se concentraban los órganos de gobierno de la nación.

Washington

W ashington es un **estado de EE UU**. La capital es **Olimpia**. Limita al Norte con la provincia canadiense de Columbia Británica, al Sur con el estado de Oregón, al Este con el de Idaho y al Oeste con el océano Pacífico. Por su extensión ocupa el quinto lugar entre todos los estados que forman la Unión. El Puget Sound comienza su itinerario en el litoral y en el estrecho de Fuca y se proyecta hacia el Sur, con ramificaciones. En la parte Sur del Puget Sound emerge la cadena Coast Range, siendo su pico más elevado el Olympus (2 748 m). En la zona oriental hace su aparición la cascada Mountain, que está cortada en forma transversal por el río Columbia y varios de sus afluentes. Es importante la agricultura y la riqueza piscícola, la minería y la silvicultura. Entre los cereales destaca, en primer lugar el trigo, al que sigue la cebada, y en menor cantidad el maíz y el centeno. La producción frutera es extraordinaria, sobre todo la de manzanas. En cuanto a la pesca, de gran transcendencia industrial en el estado, las especies de mayor consideración son el salmón y el hipocloro. Por lo que afecta a la riqueza forestal, el estado de Washington se coloca a la cabeza en la producción de pulpa de madera y tejamaniles. Importante construcción naval y

aeronáutica en Seattle. Formó parte del territorio de Oregón hasta 1853. En 1889 se convirtió en estado de la Unión.

En 1997, la libélula se convirtió en el insecto simbólico del estado de Washington.

Barco de mercancías en Seattle, Washington.

SÍMBOLOS DEL ESTADO

Washington

Apodo
Estado de la hoja perenne

Flor del estado
Azalea

Pájaro del estado
Jilguero

Lema
Por y para

El monte Rainier es una de las montañas más altas de la nación.

Washington, George

G eorge Washington [1732-1799] fue el **primer presidente de Estados Unidos**. Era un importante terrateniente de Virginia y dirigió su ejército frente a los franceses. Cuando estalló la guerra de la Independencia en 1775, fue nombrado general en jefe del ejército norteamericano y obtuvo victorias que determinaron la **Independencia de EE UU**. El 30 de abril de 1789 se estableció en Nueva York el **Gobierno Federal**, con George Washington como **primer presidente**. Fue reelegido en 1793 y de nuevo en 1797, pero esta última vez no aceptó el cargo, retirándose a su casa solariega.

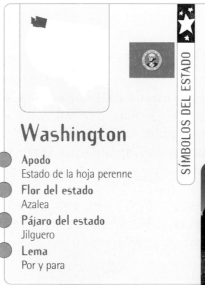

Retrato en la National Gallery.

Ingresa muy joven en el ejército británico, donde dio muestras de valentía e inteligencia militar, pero se ocupó de dirigir el ejército estadounidense cuando las trece colonias aprobaron la Declaración de Independencia. Fue delegado de Virginia en la Convención Constitucional y luego su presidente Participó en la redacción de la Constitución y en 1789 fue elegido primer presidente de los Estados Unidos.

web

La web es el conjunto de todas las páginas de internet que forman una gran "**red**" o "telaraña mundial", basada en la presentación gráfica de toda la información contenida en ellas. La expresión web proviene del inglés y significa 'telaraña'. Por ello, las páginas de internet se llaman páginas web y cada una presenta enlaces a otras páginas relacionadas, de manera que, yendo de una a otra, se "**navega**" por la web. El lugar en el que residen las páginas web se llama sitio web y contiene información que se puede presentar en modo gráfico (textos, imágenes y gráficos) o en modo texto (sólo textos). Así, un ejemplo de sitio web es el siguiente: http://www.everest.es. Otra forma de referirse a la web es mediante la expresión WWW que son las iniciales de World Wide Web, o 'telaraña que se extiende por el mundo' y que fue creada en 1990 por el Centro Europeo de Investigaciones Nucleares (CERN).

Dominios

Recibe el nombre de dominio la extensión o parte final de una dirección de internet, que se expresa por medio de un punto seguido de dos o tres letras (*.com*, por ejemplo) que indican una **clasificación geográfica** de la página (es decir, el país con el que está relacionada), el **tipo de organización** a la que pertenece, etc.

.com   organizaciones comerciales
.org   instituciones sin ánimo de lucro
.gov   redes del gobierno
.net   proveedores de servicios de internet
.edu   organizaciones educativas
.int   organizaciones internacionales
.mil   organizaciones militares

.es   España
.fr   Francia
.it   Italia
.uk   Reino Unido
.us   Estados Unidos

Buscadores

Los buscadores son unos inmensos **servidores** donde se almacenan las direcciones de gran cantidad de **páginas web ordenadas** por temas. Además exploran y analizan el contenido de las páginas. Son un instrumento muy útil para **localizar la información** en la red. Algunos funcionan sólo en un país, mientras que otros son internacionales. Por último, los llamados **metabuscadores** que buscan la información solicitada en varios de los buscadores más habituales. Hacen aparecer junto a las páginas encontradas la relación de los buscadores que han localizado esa página. Los buscadores disponen de un recuadro o ventana en blanco en la que puedes escribir las "**palabras clave**" que orientarán la búsqueda. Cuantas más pistas demos al buscador, más se acercarán los resultados a lo que queremos.

Buscadores internacionales

Yahoo: http://www.yahoo.com
Altavista: http://altavista.com
Lycos: http://www.lycos.com
Excite: http://www.excite.com
Webcrawler: http://www.webcrawler.com
Google: http://www.google.com

Buscadores españoles

Ozú: http://www.ozu.es
Yahoo esp.: http://www.espanol.yahoo.es
Google: http://www.google.es

Metabuscadores

http://www.metabusca.com
http://www.metacrawler.com
http://www.webtaxi.com
http://www.metamonster.com

Los llamados *telecentros son* un puente entre la empresa y el hogar del trabajador. Están dotados de la tecnología más moderna y hacen accesible el teletrabajo a muchas personas.

El teletrabajo

Internet ha hecho posible algo que hasta hace poco parecía inaudito: trabajar en casa y enviar los resultados al centro de trabajo por medio de la web. Supone ventajas tanto para la empresa, que ahorra gastos y aumenta la productividad, como para el trabajador, que tiene un horario más flexible y más tiempo para sí mismo, por lo cual es ideal para personas con obligaciones familiares o para discapacitados. Además la sociedad entera se beneficia del ahorro energético y de la descongestión del tráfico, entre otras cosas.

Servicios que ofrece Internet

Correo electrónico	Puedes enviar mensajes, con facilidad y sin esperas, a cualquier parte del mundo.
Grupos de noticias	Para estar siempre al día de lo que ocurre y de los temas que te interesan.
Descargar programas	Todo lo que necesitas para estar a la última en software.
Chats	Comunícate en directo con personas de todo el mundo, por medio de mensajes escritos.
Videoconferencias	Para intercambiar mensajes en directo, mientras ves a la persona con la que hablas.

Welles, Orson

Orson Welles [1915-1985] fue un **actor y director de cine** y de teatro estadounidense. Su primera película, *Ciudadano Kane* (1941), es considerada una de las **obras maestras del cine** (🔗 cine), sobre todo por sus innovaciones técnicas. Otras películas son *El cuarto mandamiento* (1942), *La dama de Shangai* (1948), *El proceso* (1962) y *Campanadas a medianoche* (1966).

Orson Welles fue un *artista precoz: a los 16 años comenzó a trabajar como actor en Irlanda. Con 22 fundó su propia compañía teatral junto a otros dos socios.*

La guerra de los mundos

Antes de dedicarse al cine, Welles trabajó en la radio, donde obtuvo fama con una retransmisión de la obra *La guerra de los mundos* de H. G. Wells, a la que inspiró tal realismo que algunos radioyentes pensaron que el país estaba siendo invadido realmente por extraterrestres.

Wilde, Oscar

Oscar Wilde [1854-1900] fue un **escritor irlandés**. En su obra no hay una preocupación por la vida real sino por el interior del alma. Escribió **relatos breves**: *El príncipe feliz y otros cuentos* (1888); una **novela**: *El retrato de Dorian Gray* (1891); **obras de teatro**: *La importancia de llamarse Ernesto* (1899); y **poesía**: *De profundis* (1962) y *La balada de la cárcel de Reading* (1898).

El ruiseñor y la rosa

–Ella me prometió que bailaría conmigo si le llevaba rosas rojas –murmuró el Estudiante–; pero en todo el jardín no queda ni una sola rosa roja.

El Ruiseñor le estaba escuchando desde su nido en la encina, y lo miraba a través de las hojas; al oír esto último, se sintió asombrado.

–¡Ni una sola rosa roja en todo el jardín! –repitió el Estudiante con sus ojos llenos de lágrimas–. ¡Ay, es que la felicidad depende hasta de cosas tan pequeñas! Ya he estudiado todo lo que los sabios han escrito, conozco los secretos de la filosofía y sin embargo, soy desdichado por no tener una rosa roja.

–Por fin tenemos aquí a un enamorado auténtico –se dijo el ruiseñor–. He estado cantándole noche tras noche, aunque no lo conozco; y noche tras noche le he contado su historia a las estrellas; y por fin lo veo ahora. Su cabello es oscuro como la flor del jacinto, y sus labios son tan rojos como la rosa que desea; pero la pasión ha hecho palidecer su rostro hasta dejarlo del color del marfil, y la tristeza ya le puso su marca en la frente.

Williams, Tennessee

Tennessee Williams [1914-1983] fue un **dramaturgo estadounidense**. En sus obras hay un clima de tensión que las hace perfectas para ser adaptadas al cine. Destacan *El zoo de cristal* (1944), *Un tranvía llamado deseo* (1947), *La gata sobre el tejado de cinc* (1965), etc.

Wilson, Thomas W.

Thomas W. Wilson [1856-1924] fue **presidente de Estados Unidos** entre 1913 y 1921. Estudió Derecho y Ciencias Políticas. En 1910 fue elegido **gobernador de Nueva Jersey** y en 1912 se presentó como candidato a la presidencia por el Partido Demócrata. Ganó las elecciones y puso en marcha diversos programas muy importantes para el país, como las ayudas a los granjeros o la prohibición de que los niños trabajasen. Su política exterior fue muy activa también. En la I Guerra Mundial hizo grandes esfuerzos por conseguir la paz e intervino en la **fundación de la Sociedad de Naciones**. En 1919 se le concedió el Premio Nobel de la Paz.

Wisconsin

En 1987 la leche se convirtió en la bebida simbólica del estado de Wisconsin.

Wisconsin es un **estado de EE UU**. La capital es Madison. Limita al norte con el lago Superior y la península de Michigan, al sur con Illinois, al este con el lago Michigan y al oeste con Iowa y Minnesota. El suelo, regado por los ríos Wisconsin y Chippewa, es generalmente llano, y en los lagos Superior y Michigan posee más de 800 km de costas. De gran riqueza agropecuaria y forestal, cuenta también con yacimientos de hierro y cinc y con importantes industrias derivadas de los aspectos económicos aludidos. El territorio que comprende el estado fue explorado en primer lugar por los franceses y posteriormente pasó a poder británico (1763). Entró a formar parte de EE UU desde 1848 y alcanzó la categroría de estado en 1846.

Wisconsin

- **Apodo**
  Estado del trabajador
- **Flor del estado**
  Violeta
- **Pájaro del estado**
  Robin
- **Lema**
  ¡Hacia delante!

SÍMBOLOS DEL ESTADO

El estado de Wisconsin tiene una gran riqueza agropecuaria y forestal, contando también con yacimientos de hierro y cinc y con importantes industrias derivadas de éstos.

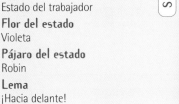

Woods, Tiger

Tiger Woods [n. 1975] es un **golfista estadounidense**. Estudió en la universidad de Standford y ganó varios campeonatos mundiales junior entre 1984 y 1991. Tambien logró tres victorias en el Campeonato Junior Amateur de EE UU (1991, 92 y 93) y en el Amateur de EE UU (94, 95 y 96), siendo en ambos el **vencedor más joven de la historia**. Su consagración llegó en 1997, cuando ganó el **Masters USA**, estableciendo tres récords: el ganador más joven, el que empleó menos golpes y el que más ventaja obtuvo sobre el segundo clasificado. Ha ganado otros muchos torneos, como el Mundial Amateur, con la selección de EE UU, en 1994; o la **Walker Cup** en 1995. Tiger Woods fue elegido el **Mejor golfista mundial** de 1992, **Hombre del Año** en 1994 y **Deportista del Año** por la revista *Sports Illustrated* en 1996.

Jugador joven y con amplia experiencia, en el año 2000 igualó el mejor récord histórico al ganar tres de los Grandes torneos del año seguidos.

Wyoming

La castilleja fue elegida la flor simbólica del estado de Wyoming en 1917.

La agricultura de Wyoming se basa en, entre otros productos, cereales, patatas y remolacha azucarera.

Wyoming es un **estado de EE UU**, situado en las montañas Rocosas. La capital es **Cheyenne**. Constituye una vasta meseta en la que se encuentran varias cordilleras, siendo el monte Gannett (4 202 m) la mayor altitud. El territorio está bañado, entre otros ríos, por el Green, Wind, Sweetwater y Powder, y el clima es de tipo continental. Se cultivan, entre otros productos, cereales, patatas y remolacha azucarera. El territorio es rico en bosques y ganados, sobresaliendo en este segundo aspecto los bovinos y ovinos. En la minería hay que destacar el petróleo, el carbón, el gas natural, uranio, hierro, fosfatos. Este estado fue explorado por los franceses en el s. XVII aunque su colonización no comenzó hasta 1820. En 1890 entró a formar parte de la Unión.

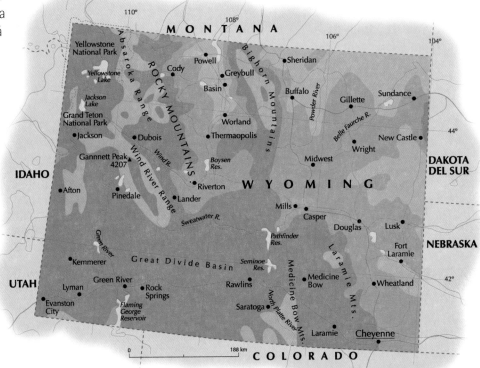

Wyoming

SÍMBOLOS DEL ESTADO

Apodo
Estado del voluntario

Flor del estado
Iris

Pájaro del estado
Ruiseñor

Lema
Agricultura y comercio

Las Montañas Gran Tetón constituyen la cordillera más joven de América del Norte. También son las montañas más escarpadas y bellas de los Estados Unidos. Este grupo montañoso derivado de la Cordillera de las Montañas Rocosas tiene unos 130 Km de largo y su anchura es menos de la mitad de eso. La cadena del Gran Tetón forma un extremo hacia el oeste que rodea una gran planicie rodeada de montañas conocidas como el Pozo de Jackson.

Yemen

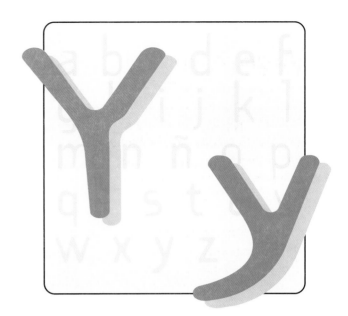

Yemen es un país de Asia, situado en la península Arábiga. El **relieve** de Yemen comprende tres zonas: en el norte el desierto, en el oeste y sur una región montañosa con diversos macizos, y en las costas del mar Rojo, llanuras pantanosas. El **clima** es cálido, aunque las temperaturas bajan en las montañas. La **economía** de Yemen se basa en la agricultura, con cultivo de tabaco, cereales, arroz y hortalizas, y en la explotación petrolera. Yemen formó parte del imperio turco durante varios períodos (1570-1635, 1872-1911). Mientras el norte del país estaba dominado por los turcos, el sur pasó a ser protectorado británico en 1934. En 1967 obtuvo la **independencia** y en 1990 las dos partes del país se unieron.

Los yemenitas son árabes, salvo una pequeña minoría persa en la costa norte.

Palacio del sultán en Saywun. Los sultanes de Kathiri gobernaron desde el siglo XV hasta fines de la década de 1960.

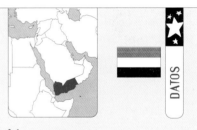

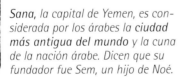

*Sana, la capital de Yemen, es considerada por los árabes la **ciudad más antigua del mundo** y la cuna de la nación árabe. Dicen que su fundador fue Sem, un hijo de Noé.*

*Oasis de **Wadi Doan**. A lo largo del curso del wadi, o río. abundan los poblados de casas cuadradas, con muchas ventanas y los campos de cultivo, en medio del desierto.*

Thula es un pueblo situado a 2 700 m de altitud, que sorprende por las construcciones con sillería, o piedra cortada, y por la armonía de su conjunto.

DATOS

Yemen

Habitantes
19 315 000

Superficie
527 968 km²

Densidad
36 hab./km²

Capital
Sanaa

Otras ciudades importantes
Adén, Taizz

Sistema de gobierno
República

Idioma
Árabe

Moneda
Rial yemení

yeso

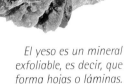

El yeso es un mine-
ral formado por
sulfato de calcio y agua, de color
blanco, transparente y blando,
presente en las rocas sedimentarias.
Se deshidrata mediante fuego y se
muele para utilizarlo en la construc-
ción y en escultura. Si se amasa con agua se endurece rápidamente, dando lugar a la **escayola**. Los principales yacimientos de yeso están en Francia,
Canadá y EE UU.

*El yeso es un mineral
exfoliable, es decir, que
forma hojas o láminas.*

*El yeso es el segundo mineral
más blando en la escala de
Mohs (◠ diamante), por-
que es muy fácil de rayar por
cualquier otro.*

*Flores de yeso. Al tratar-
se de un mineral muy
poco soluble en agua,
se suelen formar en
las paredes y techos
de las cavernas sub-
terráneas figuras de
extrañas formas, al
disolver el agua que cae
desde el techo los mate-
riales que lo rodeaban.*

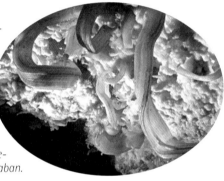

Escayola

La escayola es una combi-
nación de yeso y agua, que
cuando se seca se pone rígida.
Se utiliza mucho en decora-
ción y en la construcción de
casas, pero también en escultura e incluso en medicina.

Falso techo de escayola.

*Los médicos utilizan
escayola para
inmovilizar una
parte del cuerpo
que está rota, para
que los huesos se
vuelvan a colocar.*

Yibuti

Yibuti es un país situado en el noroeste de África.
Su territorio es totalmente llano. El
clima es caluroso y seco. La **economía** del país depende fundamentalmente del trasporte marítimo. La ganadería de cabras
y ovejas es otra fuente de
ingresos. Los franceses
ocuparon Yibuti en 1862 y
lo convirtieron en colonia.
En 1968 se logró la auto-
nomía con el nombre de
Territorio de los Afar y los
Issa, sus dos grupos tri-
bales. En 1977 obtuvieron
la **independencia**.

*La población pertenece
mayoritariamente a las tribus Issa (60 %) y Afar
(30 %), con una pequeña
minoría de franceses, árabes e italianos. La religión
musulmana es la más prac-
ticada. Dos tercios de la
población viven en la capital y el resto son, principalmente, pastores nómadas.*

*La economía está
basada en el
comercio, por la
estratégica
situación de sus
puertos y por ser
zona de mercado
libre en el noroeste
de África.*

*El lago Assal
es el punto más
bajo de África:
se encuentra a
173 m bajo el
nivel del mar.
Cuando el agua
del lago se eva-
pora deja una
costra de sal y
se forman islas.*

Yibuti

- **Habitantes**
  693 000
- **Superficie**
  23 200 km²
- **Densidad**
  30 hab./km²
- **Capital**
  Yibuti
- **Otras ciudades importantes**
  Obock, Ali-Sabiah
- **Sistema de gobierno**
  República multipartidista
- **Idioma**
  Francés, árabe
- **Moneda**
  Franco de Yibuti

La ganadería es una de las actividades económicas principales, puesto que la agricultura es prácticamente inexistente debido a la sequedad del clima. Yibuti exporta cueros, pieles y ganado.

Valle del infierno

A Yibuti lo llaman "el valle del infierno" por el calor que hace. Presenta uno de los paisajes más llamativos de África. Como ha habido muchas erupciones volcánicas (☞ volcán), se han formado montañas negras de lava que contrastan con los lagos de sal que hay en la costa.

yogur

El yogur es un **alimento** semilíquido producido a partir de leche entera o desnatada. Para su elaboración, se le añade a la leche, previamente cocida y concentrada, un cultivo de dos especies de bacterias, llamadas *Lactobacillus acidophilus* y *Streptococcus thermophilus*, que producen su fermentación. El yogur es un alimento muy saludable y digestivo que ha sido elaborado por el ser humano desde hace mucho tiempo.

El requesón y la cuajada son productos lácteos, es decir, que se elaboran a partir de la leche, muy parecidos al yogur, sólo que actúan los propios fermentos de la leche. La cuajada, por ejemplo, se produce por la coagulación natural al aire libre de la leche. Todos estos productos son muy sanos y tienen mucho calcio, necesario para los huesos.

Utensilios
- 1 litro de leche
- 1 yogur
- 1 cazo

Preparación

La elaboración del yogur es muy sencilla. Vierte un litro de leche y un yogur en una cazuela y caliéntala lentamente a fuego lento, hasta que esté tibia. Después, retírala del fuego y cúbrela con una toalla, dejándola así unas ocho horas. Después, vierte el yogur en frascos y guárdalos en la nevera.

Yrigoyen, Hipólito

H ipólito Yrigoyen (1850-1933) fue uno de los más destacados **presidentes de Argentina**. Dirigente del Partido Radical y representante de la clase media, gobernó entre 1916 y 1922 y entre 1928 y 1930. Tuvo que hacer frente a importantes crisis económicas. Fue derribado por un golpe de estado encabezado por los militares.

Yugoslavia

Y ugoslavia es un antiguo país de la península balcánica. Algunos de los países que formaban parte del Imperio austro-húngaro a principios del s. XX: Eslovenia, Croacia, Bosnia-Herzegovina, Serbia y Montenegro, pasaron a formar un nuevo país tras la disolución del Imperio en la I Guerra Mundial (1918). Este nuevo país se llamó Yugoslavia. Sin embargo las diferencias étnicas y religiosas entre los diferentes pueblos permanecieron. Durante la II Guerra Mundial estas diferencias se agravaron al apoyar los croatas y parte de los musulmanes a los nazis y los serbios a la resistencia antinazi. El gobierno comunista de Tito (desde 1946) logró reprimir esas diferencias durante largo tiempo. Sin embargo tras la muerte de éste en 1980 volvieron a surgir las discrepancias y con la llegada del ultranacionalista serbio Milosevic al poder en 1989 las diferentes repúblicas comenzaron a pedir su

Slovodan Milosevic, antiguo presidente de la Federación yugoslava.

independencia. En 1991 Eslovenia se declaró independiente iniciándose un largo conflicto, 1991-1995, que terminó con Yugoslavia dividiéndola en 5 países: Eslovenia, Croacia, Bosnia-Herzegovina, Serbia y Montenegro y Macedonia.

Cementerio musulmán en Sarajevo (Bosnia-Herzegovina), 1879.

La guerra en Bosnia en los años 90 fue un conflicto interéctnico que enfrentó a musulmanes, serbios y croatas.

Calle en el barrio antiguo de Zadar.

Refugiados de la guerra en los alrededores de Smoluce, Bosnia-Herzegovina, en septiembre de 1992.

Zambia

Zambia es un país del sur de África. No tiene salida al mar. Las montañas de Muchinga, al noroeste dan paso a una meseta central que acaba en el sur en una llanura regada por el río Zambeze. El **clima** es cálido, aunque varía con la altitud. La principal actividad económica es la minería, con explotaciones de cobre, carbón, plomo y cinc. También se practica la ganadería y la industria mecánica, química y textil. Desde fines del siglo XIX hasta 1964, año de su **independencia**, Zambia se llamó Rodesia del Norte y estuvo bajo protección británica.

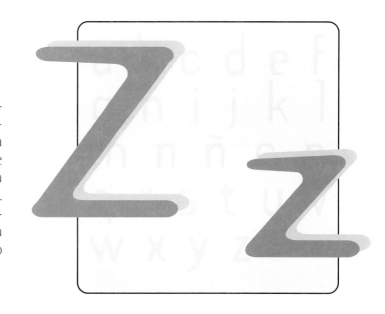

*Zambia se llama así por el **río Zambeze**, uno de los más largos de África. En su curso, este río cae en las espectaculares cataratas Victoria (⟿ Zimbabwe), para después estancarse y formar el lago Kariba.*

*El **pájaro tejedor** construye sus elaborados nidos en los árboles.*

*Los minerales de **cobre**, que suponen casi el 80 % de los ingresos del país, están agotándose.*

DATOS

Zambia

Habitantes
10 698 000

Superficie
752 610 km²

Densidad
14 hab./km²

Capital
Lusaka

Otras ciudades importantes
Kabwe, Ndola

Sistema de gobierno
República unitaria presidencialista

Idioma
Inglés (oficial), lenguas bantúes

Moneda
Kwacha

zarigüeya

Las zarigüeyas son un grupo de diversas especies de mamíferos marsupiales de pequeño tamaño, que habitan en América. Son animales nocturnos y omnívoros, es decir, que se alimentan tanto de vegetales como de pequeños animales. Destacan dos especies de zarigüeyas: la **zarigüeya común**, cuyo cuerpo mide 50 cm de longitud, sin contar la cola que mide 30 cm, y habita en EE UU y México; y la **zarigüeya de Virginia**, semejante a la anterior, aunque vive más al norte.

Gran parte de las especies presentan la bolsa marsupial, pero en otras ésta es muy rudimentaria o no existe. La hembra suele tener 13 pezones dentro del marsupio.

Zeus

Zeus es el dios del relámpago, de la luz y del cielo de la mitología griega. Es hijo de Crono y de Rea. Ésta le salvo de ser devorado por su padre, como lo fueron sus hermanos: Hestia, Deméter, Hades y Poseidón. Cuando creció, luchó contra su padre. Con una droga hizo que éste vomitara a sus hermanos, quienes le ayudaron en la lucha. Se repartió el mundo con dos de ellos: a él le tocó el Universo y el cielo, a Poseidón el mar y a Hades el mundo subterráneo. Se casó con Hera, aunque amó a otras diosas y mujeres mortales, con las que tuvo numerosos hijos, algunos fueron dioses: Marte, Apolo, Diana, Minerva, Baco, Vulcano y Mercurio, y otros héroes como Hércules.

Cuenta la leyenda que cuando el célebre escultor griego Fidias terminó la estatua de Zeus para el templo de Olimpia, el escultor pidió al dios que le diera su aprobación, lo cual hizo lanzando un rayo en el atrio.

El templo de Zeus en Atenas es el mayor construido en honor de Zeus. Su construción fue iniciada en el 515 a. C. y concluyó en el 131 d. C. durante el gobierno de Adriano, casi seis siglos y medio después. Las restos que aún quedan, entre ellos quince columnas corintias, muestran la grandiosidad del conjunto.

Escultura del frontón del templo de Zeus en Olimpia. Aunque el templo fue destruido casi en su totalidad por un terremoto, las esculturas que lo decoraban sí han llegado hasta nosotros. Los Juegos Olímpicos, en honor a Zeus, se celebran desde el 776 a. C.

El rapto de Europa

Europa, hija del rey de Tiro, Agenor, era una bella muchacha que solía caminar por la playa acompañada por sus sirvientas. Zeus tuvo la oportunidad de contemplarla y enamorarse, por lo que decidió raptar a la atractiva joven, transformándose en un toro blanco. Europa y sus compañeras no sintieron temor ante la llegada del animal, e incluso la princesa decidió subir a sus lomos. El toro dio un brinco y se lanzó corriendo hacia el mar, seguido de una procesión de seres marinos encabezada por Poseidón. Zeus depositó a Europa en Creta, donde él había pasado su infancia. De su unión amorosa nació Minos, que luego sería rey de Creta. Algunos creen que del nombre de esta bella mujer procede el nombre del continente.

Zimbabwe

Z imbabwe es un país del sur de África. No tiene salida al mar. El país está formado por dos mesetas escalonadas, separadas por una cadena montañosa que cruza el país. Los ríos principales son el Zambeze y el Limpopo. El **clima** es cálido y las lluvias caen entre octubre y abril. La minería es la principal fuente de ingresos: oro, hierro, carbón, estaño, etc. La ganadería también es importante y menos lo es la agricultura. Tras conceder en 1888 ciertos derechos mineros al británico Cecil Rhodes, los europeos se asentaron en el país y Zimbabwe fue **colonia británica** desde 1923 con el nombre de **Rodesia**. Surgieron movimientos nacionalistas impulsadas por el Congreso Nacional Africano y en 1965 se declaró la **independencia**, aunque no fue reconocida internacionalmente hasta que en 1979, en la conferencia de Londres, se aprobó la celebración de elecciones y un sistema que fuese justo para todas las razas y etnias.

Las mujeres suelen llevar a sus bebés atados a la espalda, para cuidarlos sin que eso les impida trabajar. Llevan pesadas cargas sobre su cabeza, como la mujer de la fotografía. La población es africana en un 98 % (Shona 71 %, Ndebele 16 %, otros 11 %), entre personas de raza blanca, asiática y mezclas sólo llegan a un 2 %.

Poblado shona con sus típicas cabañas circulares. Los shonas, la etnia actualmente mayoritaria en el país, son descendientes de los karanga, que construyeron un gran imperio entre los siglos X y XV.

Los artistas son socialmente muy apreciados. Destacan en alfarería, cestería, tallas de madera, telas y joyería.

El nombre de Zimbabwe o "casa de piedra" hace referencia a la capital del gran imperio del Monomotapa, rey de los karanga, que prosperó gracias al comercio del oro. El Gran Zimbabwe es el complejo de ruinas africanas más complejo al sur de las pirámides de Egipto.

Tumba de Cecil Rhodes en la llamada "vista del mundo" en el Parque Nacional Matobo.

CURIOSIDADES

Rodesia

C ecil Rhodes fue un hombre de negocios británico, el hombre más rico de África por sus minas de diamantes en Sudáfrica. Engañó al rey de los zulúes para que firmara un tratado que cedía a su companía la explotación de todos los recursos minerales del país. La reina Victoria concedió a Rodhes el control de la región. Introdujo colonos europeos y policías, que se hicieron con el país. En 1930 se decretó que las tierras cultivables sólo podían pertenecer a los colonos blancos, con lo que se condenó a la población autóctona a la pobreza.

DATOS

Zimbabwe

- **Habitantes**
  12 835 000
- **Superficie**
  390 580 km²
- **Densidad**
  33 hab./km²
- **Capital**
  Harare
- **Otras ciudades importantes**
  Bulaway, Gweru
- **Sistema de gobierno**
  República presidencialista
- **Idioma**
  Inglés, shona, sindebele
- **Moneda**
  Dólar de Zimbabwe

En el *Parque Nacional de Mana Pools* o *Estanques de Mana* abundan las aves a lo largo del río Zambeze y entre el arbolado. En sus 2196 km² de bosque se encuentran hipopótamos, elefantes, rinocerontes, búfalos y antílopes. En las aguas del río habitan el pez tigre, el besugo y el vundu gigante.

El tronco del baobab puede superar los 10 m de diámetro.

Las **Cataratas Victoria** son las más grandes del mundo con sus 100 m de caída. El vapor que despiden pueden verse a 30 km de distancia.

El *baobab* es un árbol que sólo se encuentra en el África subsahariana, muy característico del paisaje de Zimbabwe. Es muy fuerte y tiene una vida muy larga a pesar de las sequías. El baobab es un árbol muy útil: da sombra y combustible; sus hojas y frutos se comen y con ellos se hacen bebidas; su corteza se transforma en sogas y en cuerdas para instrumentos musicales.

Plantaciones de sorgo cerca de Masvingo. La agricultura emplea al 70 % de la población y supone casi el 40 % de las exportaciones.

El *Parque Nacional Hwange* es uno de los últimos grandes santuarios de elefantes en África y donde se pueden ver manadas de más de 100 elefantes. Se trata del Parque más grande de Zimbabwe, tanto por su tamaño (14 620 km²) como por la variedad de animales.

El paisaje del *Parque Nacional Matobo* se caracteriza por las inmensas rocas. En él se encuentra la mayor concentración del mundo de águilas negras y una de las poblaciones más protegidas de rinocerontes negros y blancos, además de abundantes antílopes, cebras y jirafas. Escondida en una hendidura de la piedra está la urna sagrada de la lluvia de los Ndebele, donde aún hay personas que rezan al dios Mwali para que llueva.

ZOO

Los zoos o **parques zoológicos** son espacios cerrados en los que se mantienen vivos una serie de animales salvajes, con el fin de educar a la población. Los zoológicos permiten que podamos conocer de cerca animales que, de otro modo, nunca llegaríamos a ver, por ser originarios de regiones remotas del planeta o por ser muy difíciles de observar. Además, en muchos zoológicos, se pretende que algunos animales salvajes que se encuentran en peligro de extinción se reproduzcan, evitando así la desaparición de esas especies. El origen de los zoológicos se remonta a miles de años atrás, cuando los gobernantes de países como China y Egipto conservaban en sus jardines animales salvajes, aunque el concepto moderno de zoológico se inventó más recientemente en Europa. Uno de los zoológicos más antiguos de Europa es la Casa Imperial de Fieras de Viena, inaugurada en 1765.

En algunos zoos se pueden ver animales muy raros, por ejemplo, en el de Barcelona hay un gorila blanco albino llamado Copito de Nieve.

Los niños suelen hacerse amigos de los animales, pero deben tener cuidado de no dañarles, por ejemplo, dándoles comida inapropiada. Además hay que tener precaución con algunos animales peligrosos.

El zoológico de Roma se encuentra en Villa Borghese, el segundo parque más grande de Roma, construido en el siglo XVI.

Cada vez hay una mayor tendencia a crear grandes parques sin jaulas, con vegetación, donde los animales puedan moverse con más libertad. Suelen ser visitados en coches o autocares, porque son demasiado extensos para recorrerlos caminando.

Nacidos en el zoo

Una de los retos más difíciles para un zoológico es que ciertos animales se reproduzcan en cautividad, lo cual es muy importante si se trata de especies en peligro.

En San Diego (EE UU) nació el primer koala criado en un zoo. Se trata de un animal que vive en Oceanía y cuyo medio es muy difícil de reconstruir.

Los parques zoológicos intentan que los animales se encuentren cómodos, por eso procuran que las jaulas o los recintos donde se guardan sean amplios, ponen sombrillas o árboles donde puedan protegerse del sol, estanques con agua, rocas, fuentes, piso de tierra y otras comodidades que hagan el cautiverio más confortable.

En el show de los delfines.

Animales artistas

En muchos parques zoológicos se organizan espectáculos en los que los animales son los protagonistas. Delfines, orcas, leones de mar, aves de presa, aves tropicales actúan como verdaderos artistas de circo, haciendo difíciles acrobacias.

zoología

La zoología es una rama de la biología que se dedica al estudio de los animales. Uno de los principales objetivos de la zoología es la clasificación de los animales, que consiste en ordenarlos, según sus características, en **especies**, **géneros**, **familias** y **órdenes**. El pionero de la clasificación de los animales fue **Linneo**, quien inventó un sistema para nombrar las especies animales mediante dos **nombres latinos** (uno para el género y otro para la especie). Otro de los campos de la zoología es la **anatomía**, es decir el estudio de cómo están estructurados los organismos animales. La zoología se divide a su vez en ramas, según el tipo de animales de los que se ocupe. Así, la **entomología,** estudia los insectos; la **ictiología**, los peces; la **ornitología**, las aves; la **herpetología**, los anfibios y reptiles; etc.

Allen y Beatrice Gardner consiguieron enseñar un lenguaje de señas a una chimpancé llamada Washoe.

Psicología animal

Los animales tienen inteligencia e instinto, que les hacen comportarse de ciertas formas y regulan las relaciones que tienen entre sí. El estudio de la psicología y la sociología animal o **etología** llega a veces a resultados sorprendentes, que demuestran la capacidad de aprendizaje de ciertas especies.

Ramas de la zoología

Entomología

Los insectos constituyen el grupo de animales más grande del planeta, pues el número de especies descritas y clasificadas sobrepasa el millón y medio. Se caracterizan por ser artrópodos, es decir, tener patas articuladas, y porque su cuerpo está dividido en cabeza (con dos antenas), tórax (del que salen las alas, si las tiene, y las patas) y abdomen, con el aparato reproductor en el extremo.

Ictiología

Los peces, tanto marinos como de agua dulce, son objeto de estudio de la ictiología. El agua cubre las tres cuartas partes de la superficie terrestre e integra entre el 50 % y el 70 % de los organismos vivos. Relacionadas con la ictiología están la piscicultura (cría de peces y mariscos) y la limnología (que estudia las aguas continentales).

Ornitología

La ornitología estudia las diferentes especies de aves. Los ornitólogos investigan no solo las aves en sus ambientes naturales, sino también las aves domesticas. Se interesan, por ejemplo, por su anatomía, su comportamiento, su desarrollo evolutivo, ecología, clasificación y distribución.

Herpetología

Los anfibios y reptiles presentan muchas características comunes, por eso son estudiados por la misma ciencia: la herpetología. Todos ellos carecen de temperatura corporal constante, adaptándose a la ambiental, se reproducen por medio de huevos (☞ reproducción), sus extremidades (cuando las tienen) son de estructura similar, su respiración es pulmonar cuando son adultos (aunque en los anfibios también es cutánea), etc.

La descripción y clasificación de los animales

Taxonomía

La taxonomía clasifica las especies animales en distintas categorías según sus características. Ya Aristóteles en el siglo IV avanzó una primera clasificación, separando los animales "con sangre" de los que no la tienen, lo cual se viene a corresponder con la actual división entre vertebrados e invertebrados. Linneo fue quien sentó las bases de la taxonomía actual, en el siglo XVIII.

Nombre común: Mofeta rayada o zorrillo hediondo
Nombre científico: Mephitis mephitis
Clase: Mamíferos
Orden: Carnívoros
Familia: Mustélidos
Descripción: Pelaje blanco y negro. La coloración blanca está en la parte superior de la cabeza y nuca y se extiende por todo el dorso formando dos rayas anchas separadas por una raya negra en el centro. La punta y los lados de la cola suelen ser negros.

Zoología descriptiva

Nombre común: Carpintero arlequín o bellotero
Nombre científico: Melanerpes formicivorus
Clase: Aves
Orden: Piciformes
Familia: Picidae
Descripción: Plumaje abundante, de color negro, con zonas blancas, amarillas y un penacho rojo en lo alto de la cabeza. De pico cónico, largo y fuerte, que le permite golpear a modo de martillo, y uñas largas que le sirven para sostenerse en los troncos verticales. Cola con plumas timoneras rígidas.

La zoología descriptiva se ocupa del aspecto externo de los animales, de forma que sea posible reconocerlos.

Nombre común: Boa constrictor
Nombre científico: Boa constrictor
Clase: Reptiles
Orden: Squamata
Familia: Boidae
Descripción: Puede alcanzar 4 m de longitud. Gran número de filas transversales de escamas dorsales de color negro, pardo, ocre y rojizo. Fuertes mandíbulas con huesos móviles que se encajan y desencajan. Dientes grandes. Hocico sobresaliente en los adultos.

Anatomía

La anatomía estudia los órganos de los animales; si observa los tejidos se llama **histología** y **fisiología animal** si se ocupa del funcionamiento del cuerpo.

El estudio comparativo de la anatomía de los animales nos permite conocer la evolución de las especies a partir de antepasados comunes. En ese estudio también se tienen en cuenta los restos fósiles.

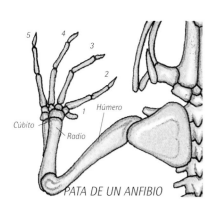

Cúbito
Radio
Húmero
PATA DE UN ANFIBIO

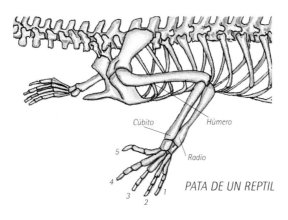

Cúbito
Húmero
Radio
PATA DE UN REPTIL

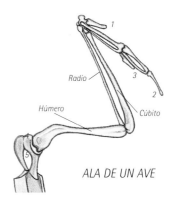

Radio
Húmero
Cúbito
ALA DE UN AVE

zorro

El zorro es un mamífero carnívoro, de la familia de los lobos, aunque de menor tamaño que éstos, caracterizado por tener las patas cortas, el hocico largo y estrecho, y las orejas largas y triangulares. Su pelaje es rojizo y espeso, y tiene una cola larga y con abundante pelo. Los zorros se alimentan de pequeños animales, como ratones, aves y conejos, que cazan con gran habilidad, y también de fruta, huevos y desperdicios. Estos animales son capaces de adaptarse a condiciones ambientales muy distintas, encontrándose en climas muy diversos, distribuidos por América, Europa, Asia y África. Hay numerosas especies distintas de zorros, entre las que destaca el **zorro común** o **zorro rojo**, con pelaje de este color, excepto por una mancha clara en el pecho y por los extremos de las patas y de las orejas, que son de color negro.

El zorro común o rojo se adapta a todo tipo de medios: bosques, zonas de matorrales y áreas desérticas.

CURIOSIDADES

Zorro ártico saliendo de su cubil de verano, excavado en el suelo.

Zorro ártico

Una especie de zorro es el zorro ártico, que habita en el Ártico y se caracteriza por tener dos pelajes distintos: uno grisáceo durante el verano y otro blanco y muy espeso durante el invierno, que lo protege de las bajas temperaturas, que llegan a -70 °C.

El zorro ártico se confunde con la nieve en el invierno

Los países del mundo

Los países del mundo

 ## Afganistán

Habitantes
28 717 213

Capital
Kabul

Moneda
Afghani

Superficie
652 090 km²

Densidad
44 hab./km²

Idioma
Pastu, persa afgano o dari, uzbeko

 ## Angola

Habitantes
13 184 000

Capital
Luanda

Moneda
Nuevo kwanza

Superficie
1 246 700 km²

Densidad
10 hab./km²

Idioma
Portugués (oficial), ovimbundu, kimbundu, bakongo, chokwe

 ## Albania

Habitantes
3 422 000

Capital
Tirana

Moneda
Nuevo Lek

Superficie
28 748 km²

Densidad
119 hab./ km²

Idioma
Albanés, griego

 ## Antigua y Barbuda

Habitantes
73 000

Capital
Saint John's

Moneda
Dólar del Caribe

Superficie
442 km²

Densidad
165 hab./km²

Idioma
Inglés (oficial)

 ## Alemania

Habitantes
82 190 000

Capital
Berlín

Moneda
Euro

Superficie
356 733 km²

Densidad
230 hab./km²

Idioma
Alemán

 ## Arabia Saudí

Habitantes
23 520 000

Capital
Riad

Moneda
Riyal

Superficie
2 153 168 km²

Densidad
10 hab./km²

Idioma
Árabe

 ## Andorra

Habitantes
71 000

Capital
Andorra la Vella

Moneda
Euro

Superficie
453 km²

Densidad
156 hab./ km²

Idioma
Catalán, español

 ## Argelia

Habitantes
31 266 000

Capital
Argel

Moneda
Dinar argelino

Superficie
2 381 741 km²

Densidad
13 hab./km²

Idioma
Árabe, dialectos bereberes

Argentina

Habitantes
37 981 000

Superficie
2 780 400 km²

Capital
Buenos Aires

Densidad
13 hab./ km²

Moneda
Peso argentino

Idioma
Español (oficial)

 **Azerbaiyán**

Habitantes
8 297 000

Superficie
86 600 km²

Capital
Bakú

Densidad
95 hab./km²

Moneda
Manat azerí

Idioma
Azerí y ruso

 Armenia

Habitantes
3 409 234

Superficie
29 800 km²

Capital
Ereván

Densidad
114 hab./km²

Moneda
Dram

Idioma
Armenio

 Bahamas

Habitantes
310 000

Superficie
13 940 km²

Capital
Nassau

Densidad
20 hab./km²

Moneda
Dólar bahameño

Idioma
Inglés (oficial), créole

 Australia

Habitantes
19 544 000

Superficie
7 686 848 km²

Capital
Canberra

Densidad
2 hab./km²

Moneda
Dólar australiano

Idioma
Inglés, lenguas aborígenes

 Bahrein

Habitantes
709 000

Superficie
692 km²

Capital
Manama

Densidad
909 hab./km²

Moneda
Dinar de Bahrein

Idioma
Árabe

 Austria

Habitantes
8 139 299

Superficie
83 859 km²

Capital
Viena

Densidad
97 hab./ km²

Moneda
Euro

Idioma
Alemán

 Bangladesh

Habitantes
143 809 000

Superficie
143 998 km²

Capital
Dacca

Densidad
998 hab./km²

Moneda
Taka

Idioma
Bengalí, dialectos tribales

Los países del mundo

 Barbados

Habitantes
269 000

Superficie
431 km²

Capital
Bridgetown

Densidad
624 hab./km²

Moneda
Dólar de Barbados

Idioma
Inglés (oficial)

 Bielorrusia

Habitantes
9 940 000

Superficie
207 600 km²

Capital
Minsk

Densidad
47 hab./km²

Moneda
Rublo

Idioma
Bielorruso

 Bélgica

Habitantes
10 182 034

Superficie
30 513 km²

Capital
Bruselas

Densidad
333 hab./km²

Moneda
Euro

Idioma
Flamenco, francés y alemán

 Bolivia

Habitantes
8 645 000

Superficie
1 098 581 km²

Capital
Sucre (const.)
La Paz (gob.)

Densidad
7 hab./km²

Moneda
Boliviano

Idioma
Español, quechua, qimara, guaraní

 Belice

Habitantes
251 000

Superficie
22 960 km²

Capital
Belmopan

Densidad
10 hab./km²

Moneda
Dólar de Belice

Idioma
Inglés (oficial), español, garifuna

 Bosnia-Herzegovina

Habitantes
4 126 000

Superficie
51 233 km²

Capital
Sarajevo

Densidad
80 hab./km²

Moneda
Marcco convertible

Idioma
Serbion, croata y bosnio

 Benín

Habitantes
6 305 567

Superficie
112 622 km²

Capital
Porto-Novo

Densidad
55 hab./km²

Moneda
Franco CFA

Idioma
Francés

 Botswana

Habitantes
1 770 000

Superficie
600 372 km²

Capital
Gaborone

Densidad
2 hab./km²

Moneda
Pula

Idioma
Setswana (oficial), inglés

Brasil

Habitantes
176 257 000

Superficie
8 511 965 km²

Capital
Brasilia

Densidad
20 hab./km²

Moneda
Real

Idioma
Portugués (oficial)

 # Burundi

Habitantes
6 602 000

Superficie
27 834 km²

Capital
Bujumbura

Densidad
237 hab./km²

Moneda
Franco de Burundi

Idioma
Francés, kirundi

 # Brunei

Habitantes
350 000

Superficie
5 765 km²

Capital
Bandar Seri Begawan

Densidad
57 hab./km²

Moneda
Dólar de Brunei

Idioma
Malay

 # Bután

Habitantes
2 190 000

Superficie
47 000 km²

Capital
Thimbu

Densidad
46 hab./km²

Moneda
Ngultrum y rupia india

Idioma
Dzonkha, dialectos

 # Bulgaria

Habitantes
8 194 772

Superficie
110 910 km²

Capital
Sofía

Densidad
73 hab./km²

Moneda
Lev

Idioma
Búlgaro

Cabo Verde

Habitantes
454 000

Superficie
4 033 km²

Capital
Praia

Densidad
100 hab./km²

Moneda
Escudo cabo verdiano

Idioma
Portugués

 # Burkina Faso

Habitantes
12 624 000

Superficie
274 200 km²

Capital
Uagadugu

Densidad
42 hab./km²

Moneda
Franco CFA

Idioma
Francés

 # Camboya

Habitantes
13 810 520

Superficie
181 035 km²

Capital
Phnom Penh

Densidad
76 hab./km²

Moneda
Riel

Idioma
Khmer (oficial), francés

Los países del mundo

 ## Camerún

Habitantes
15 500 000

Capital
Yaundé

Moneda
Franco CFA

Superficie
475 442 km²

Densidad
32 hab./km²

Idioma
Francés e inglés (oficial) y dialectos

 ## China

Habitantes
1 294 867 000

Capital
Beijin

Moneda
Yuan

Superficie
9 596 960 km²

Densidad
134 hab./km²

Idioma
Chino (mandarino y dialectos)

 ## Canadá

Habitantes
31 271 000

Capital
Ottawa

Moneda
Dólar canadiense

Superficie
9 976 140 km²

Densidad
3 hab./km²

Idioma
Inglés y francés (oficial)

 ## Chipre

Habitantes
796 000

Capital
Nicosia

Moneda
Libra de Chipre

Superficie
9 250 km²

Densidad
86 hab./km²

Idioma
Griego y turco

 ## Chad

Habitantes
8 348 000

Capital
N'Djamena

Moneda
Franco CFA

Superficie
1 284 000 km²

Densidad
6 hab./km²

Idioma
Francés, árabe

 ## Colombia

Habitantes
43 526 000

Capital
Bogotá

Moneda
Peso colombiano

Superficie
1 138 910 km²

Densidad
38 inhab./km²

Idioma
Español (oficial), inglés, guajiro y aprox. 90 lenguas indígenas

 ## Chile

Habitantes
15 613 000

Capital
Santiago

Moneda
Peso chileno

Superficie
756 626 km²

Densidad
19 hab./km²

Idioma
Español (oficial), mapuche, quechua, aimara

 ## Comores

Habitantes
747 000

Capital
Moroni (en la isla de Gran Comore)

Moneda
Franco comoriano

Superficie
1 862 km²

Densidad
401 hab./km²

Idioma
Francés y árabe (oficial)

Corea del Norte

Habitantes	Superficie
22 541 000	120 540 km^2
Capital	**Densidad**
Pyongyang	187 hab./km^2
Moneda	**Idioma**
Won norcoreano	Coreano

 Croacia

Habitantes	Superficie
4 439 000	56 538 km^2
Capital	**Densidad**
Zagreb	78 hab./km^2
Moneda	**Idioma**
Kuna	Croata

 Corea del Sur

Habitantes	Superficie
47 430 800	98 480 km^2
Capital	**Densidad**
Seúl	481 hab./km^2
Moneda	**Idioma**
Won surcoreano	Coreano

 Cuba

Habitantes	Superficie
11 271 000	110 860 km^2
Capital	**Densidad**
La Habana	101 hab./km^2
Moneda	**Idioma**
Peso cubano	Español (oficial)

 Costa de Marfil

Habitantes	Superficie
16 365 000	322 460 km^2
Capital	**Densidad**
Yamussukro	50 hab./km^2
Moneda	**Idioma**
Franco CFA	Francés (oficial), kwa y dialectos sudaneses

 Dinamarca

Habitantes	Superficie
5 531 000	43 094 km^2
Capital	**Densidad**
Copenhagen	124 hab./km^2
Moneda	**Idioma**
corona danesa	Danés

 Costa Rica

Habitantes	Superficie
4 094 000	51 100 km^2
Capital	**Densidad**
San José	80 hab./km^2
Moneda	**Idioma**
Colón costarricense	Español (oficial), créole

 **Dominica**

Habitantes	Superficie
78 000	750 km^2
Capital	**Densidad**
Roseau	104 hab./km^2
Moneda	**Idioma**
Dólar del Caribe oriental	Inglés (oficial) y patois francés

Los países del mundo

 ## Ecuador

Habitantes
12 810 000

Capital
Quito

Moneda
Dólar

Superficie
283 560 km²

Densidad
45 hab./km²

Idioma
Español (oficial), quechua

 ## Eritrea

Habitantes
3 984 723

Capital
Asmara

Moneda
Nafka

Superficie
121 320 km²

Densidad
32 hab./km²

Idioma
Dialectos árabes

 ## Egipto

Habitantes
70 507 000

Capital
Cair

Moneda
Libra egipcia

Superficie
1 001 450 km²

Densidad
70 hab./km²

Idioma
Árabe

 ## Eslovaquia

Habitantes
5 396 193

Capital
Bratislava

Moneda
Corona

Superficie
48 845 km²

Densidad
110 hab./km²

Idioma
Eslovaco

 ## Emiratos Árabes Unidos

Habitantes
2 937 000

Capital
Abu Dhabi

Moneda
Dirham

Superficie
82 880 km²

Densidad
35 hab./km²

Idioma
Árabe

 ## Eslovenia

Habitantes
1 970 570

Capital
Liubliana

Moneda
Tolar

Superficie
20 256 km²

Densidad
97 hab./km²

Idioma
Esloveno

El Salvador

Habitantes
6 415 000

Capital
San Salvador

Moneda
Colón salvadoreño

Superficie
21 040 km²

Densidad
304 hab./km²

Idioma
Español (oficial), nahua, y otros dialectos

 ## España

Habitantes
42 717 064

Capital
Madrid

Moneda
Euro

Superficie
504 750 km²

Densidad
78 hab./km²

Idioma
Español, euskera, catalán, gallego, valenciano

Estados Unidos

Habitantes
291 038 000

Capital
Washington D. C.

Moneda
Dólar EE UU

Superficie
9 629 091 km²

Densidad
30 hab./km²

Idioma
Inglés (oficial), español

 ## Finlandia

Habitantes
5 197 000

Capital
Helsinki

Moneda
Euro

Superficie
337 030 km²

Densidad
15 hab./km²

Idioma
Finés, sueco

 ## Estonia

Habitantes
1 338 000

Capital
Tallinn

Moneda
Kroon estonio

Superficie
45 226 km²

Densidad
29 hab./km²

Idioma
Estonio, ruso

 ## Francia

Habitantes
59 850 000

Capital
París

Moneda
Euro

Superficie
547 030 km²

Densidad
109 hab./km²

Idioma
Francés

 ## Etiopía

Habitantes
68 961 000

Capital
Addis Ababa

Moneda
Birr

Superficie
1 127 127 km²

Densidad
61 hab./km²

Idioma
Amárico, tigrinya,
orominga, guaraginga

 ## Gabón

Habitantes
1 306 000

Capital
Libreville

Moneda
Franco CFA

Superficie
267 670 km²

Densidad
4 hab./km²

Idioma
Francés (oficial), fang

 ## Filipinas

Habitantes
78 580 000

Capital
Manila

Moneda
Pesp filipino

Superficie
300 000 km²

Densidad
261 hab./km²

Idioma
Tagalog, inglés

 ## Gambia

Habitantes
1 338 000

Capital
Banjul

Moneda
Dalasi

Superficie
11 300 km²

Densidad
118 hab./km²

Idioma
Inglés (oficial), mandinka

Los países del mundo

 ## Georgia

Habitantes	Superficie
5 177 000	69 700 km²
Capital	**Densidad**
Tbilisi	74 hab./km²
Moneda	**Idioma**
Rublo	Georgiano, ruso

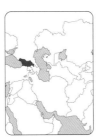

 ## Guatemala

Habitantes	Superficie
12 036 000	108 890 km²
Capital	**Densidad**
Guatemala	110 hab./km²
Moneda	**Idioma**
Quetzal	Español (oficial), lenguas indígenas

 ## Ghana

Habitantes	Superficie
20 471 000	238 540 km²
Capital	**Densidad**
Accra	85 hab./km²
Moneda	**Idioma**
Nuevo cedi	Inglés y lenguas africanas

 ## Guinea

Habitantes	Superficie
8 359 000	245 860 km²
Capital	**Densidad**
Conakry	33 hab./km²
Moneda	**Idioma**
Franco guineano	Francés (oficial), fulani, malinke

 ## Granada

Habitantes	Superficie
81 000	340 km²
Capital	**Densidad**
Saint George's	238 hab./km²
Moneda	**Idioma**
Dólar del Caribe orietal	Inglés (oficial), criollo inglés, criollo francés

 ## Guinea-Bissau

Habitantes	Superficie
1 449 000	36 120 km²
Capital	**Densidad**
Bissau	40 hab./km²
Moneda	**Idioma**
Fracno CFA	Portugués (oficial),criollo, balante

 ## Grecia

Habitantes	Superficie
10 970 000	131 940 km²
Capital	**Densidad**
Atenas	83 hab./km²
Moneda	**Idioma**
Euro	Griego

 ## Guinea Ecuatorial

Habitantes	Superficie
481 000	28 050 km²
Capital	**Densidad**
Malabo	17 hab./km²
Moneda	**Idioma**
Fracno CFA	Español (oficial), fang, bubi

Guyana

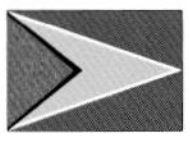

Habitantes
764 000

Capital
Georgetown

Moneda
Dólar de Guyana

Superficie
214 970 km²

Densidad
3 hab./km²

Idioma
Inglés (oficial), portugués, chino, hindú y varios dialectos amerindios

 # India

Habitantes
1 049 549 000

Capital
Nueva Delhi

Moneda
Rupia india

Superficie
3 287 590 km²

Densidad
319 hab./km²

Idioma
Hindi, inglés (oficial), otros

 # Haití

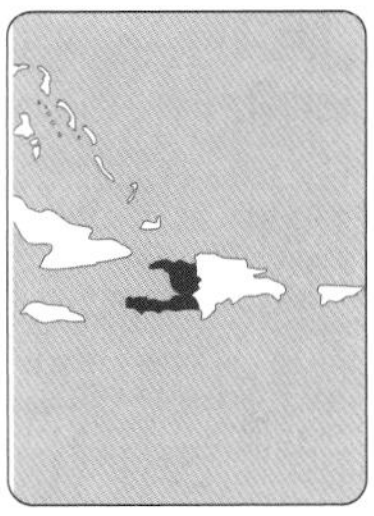

Habitantes
8 218 000

Capital
Port-au-Prince

Moneda
Gourde

Superficie
27 750 km²

Densidad
296 hab./km²

Idioma
Francés (oficial), créole

 # Indonesia

Habitantes
217 131 000

Capital
Jakarta

Moneda
Rupia indonesia

Superficie
1 904 400 km²

Densidad
114 hab./km²

Idioma
Bahasa indonesio y otras 200 lenguas

 # Honduras

Habitantes
6 781 000

Capital
Tegucigalpa

Moneda
Lempira

Superficie
112 090 km²

Densidad
60 hab./km²

Idioma
Español (oficial), dialectos nativos

 # Irak

Habitantes
24 510 000

Capital
Baghdad

Moneda
Dinar iraquí

Superficie
434 924 km²

Densidad
56 hab./km²

Idioma
Árabe (oficial), kurdo

 # Hungría

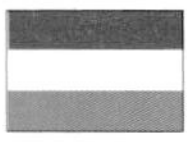

Habitantes
9 923 000

Capital
Budapest

Moneda
Forint

Superficie
93 030 km²

Densidad
106 hab./km²

Idioma
Húngaro

 # Irán

Habitantes
68 070 000

Capital
Teherán

Moneda
Rial iraní

Superficie
1 648 000 km²

Densidad
41 hab./km²

Idioma
Farsi (oficial), árabe, turco, kurdo

Irlanda

Habitantes	**Superficie**
35 781 000	70 280 km²
Capital	**Densidad**
Dublín	55 hab./km²
Moneda	**Idioma**
Euro	Irlandés, inglés

 ## Islas Maldivas

Habitantes	**Superficie**
309 000	298 km²
Capital	**Densidad**
Malé	1 037 hab./km²
Moneda	**Idioma**
Rufiyaa	Divehi

 ## Isla Mauricio

Habitantes	**Superficie**
1 210 000	2 045 km²
Capital	**Densidad**
Port Louis	591 inhab./km²
Moneda	**Idioma**
Rupia de Mauricio	Inglés, francés, criollo

 ## Islas Marshall

Habitantes	**Superficie**
52 000	181 km²
Capital	**Densidad**
Majuro	287 hab./km²
Moneda	**Idioma**
Dólar EE UU	Inglés (oficial)

 ## Islandia

Habitantes	**Superficie**
287 000	103 000 km²
Capital	**Densidad**
Reikiavik	3 hab./km²
Moneda	**Idioma**
Corona islandesa	Islandés

 ## Islas Palau

Habitantes	**Superficie**
20 000	490 km²
Capital	**Densidad**
Oreor	41 hab./km²
Moneda	**Idioma**
U.S. dollar	Inglés, sonsorolés, tobi, paluano

 ## Islas Fidji

Habitantes	**Superficie**
831 000	18 270 km²
Capital	**Densidad**
Suva	45 hab./km²
Moneda	**Idioma**
Dólar de Fidji	Inglés, fiyiano, indostaní

 ## Islas Seychelles

Habitantes	**Superficie**
80 000	455 km²
Capital	**Densidad**
Victoria	175 hab./km²
Moneda	**Idioma**
Rupia	Inglés, francés

Islas Solomón

Habitantes
463 000

Capital
Honiara

Moneda
Dólar
de Salomón

Superficie
28 446 km²

Densidad
16 hab./km²

Idioma
Inglés, pidgin melanesio

 ## Japón

Habitantes
127 478 000

Capital
Tokio

Moneda
Yen

Superficie
377 750 km²

Densidad
337 hab./km²

Idioma
Japonés

 ## Israel

Habitantes
6 304 000

Capital
Jerusalén
y Tel Aviv

Moneda
Nuevo shekel

Superficie
20 325 km²

Densidad
310 hab./km²

Idioma
Hebreo, árabe (oficial)

 ## Jordania

Habitantes
5 329 000

Capital
Ammán

Moneda
Dinar de Jordania

Superficie
89 213 km²

Densidad
59 hab./km²

Idioma
Árabe

 ## Italia

Habitantes
57 482 000

Capital
Roma

Moneda
Euro

Superficie
301 225 km²

Densidad
190 hab./km²

Idioma
Italiano y dialectos
(lombardo, toscano, etc.)

 ## Kazajistán

Habitantes
15 469 000

Capital
Astana

Moneda
Tengue

Superficie
2 717 300 km²

Densidad
6 hab./km²

Idioma
Kazajo, ruso

 ## Jamaica

Habitantes
2 627 000

Capital
Kingston

Moneda
Dólar jamaicano

Superficie
10 990 km²

Densidad
239 hab./km²

Idioma
Inglés (oficial)

 ## Kenya

Habitantes
31 540 000

Capital
Nairobi

Moneda
Chelín keniata

Superficie
582 640 km²

Densidad
54 hab./km²

Idioma
Swahili, inglés, kikuyu

Los países del mundo

 Kirguizistán

Habitantes
5 067 000

Superficie
198 500 km²

Capital
Bishkek

Densidad
25 hab./km²

Moneda
Som

Idioma
Kirghiz, ruso

 Lesotho

Habitantes
1 800 000

Superficie
30 350 km²

Capital
Maseru

Densidad
59 hab./km²

Moneda
Loti

Idioma
Sesotho, inglés

 Kiribatí

Habitantes
86 000

Superficie
728 km²

Capital
Tarawa

Densidad
118 hab./km²

Moneda
Dólar australiano

Idioma
Inglés

Letonia

Habitantes
2 329 000

Superficie
64 500 km²

Capital
Riga

Densidad
36 hab./km²

Moneda
Lat letón

Idioma
Letón, ruso

 Kuwait

Habitantes
2 443 000

Superficie
17 818 km²

Capital
Kuwait

Densidad
137 hab./km²

Moneda
Dinar kuwaití

Idioma
Árabe (oficial), hindi, urdu

 Líbano

Habitantes
3 96 000

Superficie
10 400 km²

Capital
Beirut

Densidad
345 hab./km²

Moneda
Libra libanesa

Idioma
Árabe, francés, inglés

 Laos

Habitantes
5 529 000

Superficie
236 800 km²

Capital
Vientiane

Densidad
23 hab./km²

Moneda
Nuevo kip

Idioma
Lao, dialectos, francés, inglés

 Liberia

Habitantes
3 239 000

Superficie
111 370 km²

Capital
Monrovia

Densidad
29 hab./km²

Moneda
Dólar liberiano

Idioma
Inglés

Libia

Habitantes	Superficie
5 445 000	1 759 540 km²
Capital	**Densidad**
Trípoli	3 hab./km²
Moneda	**Idioma**
Dinar libio	Árabe, bereber

 **Macedonia**

Habitantes	Superficie
2 046 000	25 713 km²
Capital	**Densidad**
Skopje	79 hab./km²
Moneda	**Idioma**
Dina macedonio	Macedonio

 Liechtenstein

Habitantes	Superficie
33 000	157 km²
Capital	**Densidad**
Vaduz	210 hab./km²
Moneda	**Idioma**
Franco suizo	Alemán

 **Madagascar**

Habitantes	Superficie
16 916 000	578 040 km²
Capital	**Densidad**
Antananarivo	29 hab./km²
Moneda	**Idioma**
Franco malgache	Malgache, francés

 Lituania

Habitantes	Superficie
3 465 000	65 200 km²
Capital	**Densidad**
Vilnius	53 hab./km²
Moneda	**Idioma**
Litas	Lituano, ruso

 Malaisia

Habitantes	Superficie
23 965 000	329 750 km²
Capital	**Densidad**
Kuala Lumpur	72 hab./km²
Moneda	**Idioma**
Ringgit	Malayo

(mapa)

 Luxembourg

Habitantes	Superficie
447 000	2 586 km²
Capital	**Densidad**
Luxemburgo	172 hab./km²
Moneda	**Idioma**
Euro	Luxemburgués (oficial), francés, alemán

(mapa)

(bandera) **Malawi**

Habitantes	Superficie
11 871 000	118 480 km²
Capital	**Densidad**
Lilongwe	100 hab./km²
Moneda	**Idioma**
Kwacha	Inglés, chichewa

Malí

Habitantes
12 623 000

Superficie
1 240 000 km²

Capital
Bamako

Densidad
10 hab./km²

Moneda
Franco CFA

Idioma
Francés

México

Habitantes
101 965 200

Superficie
1 967 183 km²

Capital
Ciudad de México

Densidad
52 hab./km²

Moneda
Nuevo peso
mexicano

Idioma
Español (oficial),
lenguas indígenas

Malta

Habitantes
393 000

Superficie
316 km²

Capital
La Valletta

Densidad
1 243 hab./km²

Moneda
Libra maltesa

Idioma
Maltés, inglés

Micronesia

Habitantes
108 000

Superficie
700 km²

Capital
Palikir

Densidad
154 hab./km²

Moneda
Dólar EE UU

Idioma
Inglés, lenguas malayo-polinesias

Marruecos

Habitantes
30 072 000

Superficie
458 730 km²

Capital
Rabat

Densidad
65 hab./km²

Moneda
Dirham

Idioma
Árabe, bereber

Moldavia

Habitantes
4 270 000

Superficie
33 700 km²

Capital
Chisinau

Densidad
127 hab./km²

Moneda
Leu

Idioma
Moldavo (rumano)

Mauritania

Habitantes
2 807 000

Superficie
1 030 700 km²

Capital
Nouakchott

Densidad
3 hab./km²

Moneda
Ouguiya

Idioma
Árabe, (hasaniya y wolof)

Mónaco

Habitantes
34 000

Superficie
181 km²

Capital
Mónaco

Densidad
18 784 hab./km²

Moneda
Euro

Idioma
Francés, monegasco

Mongolia

Habitantes
2 559 000

Superficie
1 565 000 km²

Capital
Ulan-Bator

Densidad
1,6 hab./km²

Moneda
Tugrik

Idioma
Mongol

 # Naurú

Habitantes
13 000

Superficie
24 km²

Capital
Yaren

Densidad
591 hab./km²

Moneda
Dólar australiano

Idioma
Inglés y naurano

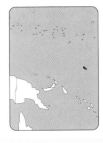

 # Mozambique

Habitantes
18 537 000

Superficie
783 080 km²

Capital
Maputo

Densidad
24 hab./km²

Moneda
Metical

Idioma
Portugués

 # Nepal

Habitantes
24 609 000

Superficie
140 797 km²

Capital
Kathmandu

Densidad
174 hab./km²

Moneda
Rupia nepalí

Idioma
Nepalí (oficial) y otras
20 lenguas

 # Myanmar

Habitantes
48 852 000

Superficie
676 552 km²

Capital
Rangún

Densidad
72 hab./km²

Moneda
Kyat

Idioma
Birmano

 # Nicaragua

Habitantes
5 335 000

Superficie
130 000 km²

Capital
Managua

Densidad
41 hab./km²

Moneda
Córdoba

Idioma
Español (oficial)

 # Namibia

Habitantes
1 961 000

Superficie
824 790 km²

Capital
Windhoek

Densidad
2 hab./km²

Moneda
Dólar de Namibia

Idioma
Inglés (oficial), afrikaans,
alemán y otros idiomas locales

 # Níger

Habitantes
11 544 000

Superficie
1 267 000 km²

Capital
Niamey

Densidad
9 hab./km²

Moneda
Franco CFA

Idioma
Francés (oficial), hausa, tuareg

Los países del mundo

 Nigeria

Habitantes	**Superficie**
120 911 000	923 762 km²
Capital	**Densidad**
Abuja	130 hab./km²
Moneda	**Idioma**
Naira	Inglés (oficial), hausa, yoruba, ibo

 Países Bajos

Habitantes	**Superficie**
16 067 000	40 844 km²
Capital	**Densidad**
Amsterdam	393 hab./km²
Moneda	**Idioma**
Euro	Holandés

 Noruega

Habitantes	**Superficie**
4 514 000	324 220 km²
Capital	**Densidad**
Oslo	14 hab./km²
Moneda	**Idioma**
Corona noruega	Noruego

 Pakistán

Habitantes	**Superficie**
149 911 000	803 943 km²
Capital	**Densidad**
Islamabad	186 hab./km²
Moneda	**Idioma**
Rupia pakistaní	Urdu, inglés

 Nueva Zelanda

Habitantes	**Superficie**
3 846 000	268 676 km²
Capital	**Densidad**
Wellington	14 hab./km²
Moneda	**Idioma**
Dólar neozelandés	Inglés, maorí

 Panamá

Habitantes	**Superficie**
3 064 000	77 080 km²
Capital	**Densidad**
Panama City	40 hab./km²
Moneda	**Idioma**
Balboa	Español (oficial), inglés, lenguas indias

 Omán

Habitantes	**Superficie**
2 768 000	212 457 km²
Capital	**Densidad**
Muscat	13 hab./km²
Moneda	**Idioma**
Rial de Omán	Árabe

 Papúa-Nueva Guinea

Habitantes	**Superficie**
5 586 000	461 691 km²
Capital	**Densidad**
Port Moresby	12 hab./km²
Moneda	**Idioma**
Kina	Inglés

Paraguay

Habitantes
5 740 000

Superficie
406 752 km²

Capital
Asunción

Densidad
14 hab./km²

Moneda
Guarani

Idioma
Español, guaraní (oficial)

 ## Qatar

Habitantes
601 000

Superficie
11 347 km²

Capital
Doha

Densidad
53 hab./km²

Moneda
Riyal

Idioma
Árabe

 ## Perú

Habitantes
26 767 000

Superficie
1 285 216 km²

Capital
Lima

Densidad
21 hab./km²

Moneda
Nuevo sol

Idioma
Español, quechua, aimara (oficial)

 ## Reino Unido

Habitantes
58 649 000

Superficie
244 046 km²

Capital
London

Densidad
240 hab./km²

Moneda
Pound sterling

Idioma
Inglés

 ## Polonia

Habitantes
38 622 000

Superficie
312 677 km²

Capital
Warsaw

Densidad
123 hab./km²

Moneda
Zloty

Idioma
Polaco

 ## República Centroafricana

Habitantes
3 819 000

Superficie
622 984 km²

Capital
Bangui

Densidad
5 hab./km²

Moneda
Franco CFA

Idioma
Francés (oficial), sango, dialectos sudaneses

 ## Portugal

Habitantes
10 049 000

Superficie
92 080 km²

Capital
Lisboa

Densidad
109 hab./km²

Moneda
Euro

Idioma
Portugués

 ## República Checa

Habitantes
10 246 000

Superficie
78 703 km²

Capital
Praga

Densidad
130 hab./km²

Moneda
Coruna

Idioma
Checo

Los países del mundo

 ## Rep. de Sudáfrica

Habitantes
44 759 000

Capital
Pretoria,
Ciudad del Cabo

Moneda
Rand

Superficie
1 221 037 km²

Densidad
37 hab./km²

Idioma
Inglés, afrikaans

 ## Ruanda

Habitantes
8 272 000

Capital
Kigali

Moneda
Franco ruandés

Superficie
26 338 km²

Densidad
314 hab./km²

Idioma
Kinyarwanda, francés

 ## República del Congo

Habitantes
2 716 814

Capital
Brazzaville

Moneda
Franco CFA

Superficie
342 000 km²

Densidad
7 hab./km²

Idioma
Francés (oficial) y dialectos bantúes

Rumanía

Habitantes
22 387 000

Capital
Bucarest

Moneda
Leu

Superficie
237 500 km²

Densidad
94 hab./km²

Idioma
Rumano

 ## República D. del Congo

Habitantes
50 481 305

Capital
Kinshasa

Moneda
Franco congolés

Superficie
2 345,410 km²

Densidad
21 hab./km²

Idioma
Francés (oficial), lingala, swahili

 ## Rusia

Habitantes
144 082 000

Capital
Moscú

Moneda
Rublo

Superficie
17 075 400 km²

Densidad
8 hab./km²

Idioma
Ruso

 ## República Dominicana

Habitantes
8 616 000

Capital
Santo Domingo

Moneda
Peso dominicano

Superficie
48 730 km²

Densidad
176 hab./km²

Idioma
Español (oficial)

 ## Samoa

Habitantes
176 000

Capital
Apia

Moneda
Tala

Superficie
2 842 km²

Densidad
61 hab./km²

Idioma
Inglés, samoano

San Cristóbal y Nevis

Habitantes
38 000

Capital
Charlestown,
Newcastle

Moneda
Dólar del Caribe or.

Superficie
267 km²

Densidad
142 hab./km²

Idioma
Inglés (oficial), créole

 ## San Vicente y Granadinas

Habitantes
119 000

Capital
Kingstown

Moneda
Dólar del Caribe or.

Superficie
388 km²

Densidad
306 hab./km²

Idioma
Inglés (oficial)

 ## San Marino

Habitantes
27 000

Capital
San Marino

Moneda
Euro

Superficie
61 km²

Densidad
442 hab./km²

Idioma
Italiano

 ## Senegal

Habitantes
9 855 000

Capital
Dakar

Moneda
Franco CFA

Superficie
196 200 km²

Densidad
50 hab./km²

Idioma
Francés

 ## Santa Lucía

Habitantes
148 000

Capital
Castries

Moneda
Dólar del Caribe or.

Superficie
616 km²

Densidad
240 hab./km²

Idioma
Inglés (oficial), patois francés

 ## Serbia y Montenegro

Habitantes
10 535 000

Capital
Belgrado

Moneda
Nuevo dinar

Superficie
102 200 km²

Densidad
103 hab./km²

Idioma
Serbio

 ## Santo Tomé y Príncipe

Habitantes
157 000

Capital
São Tomé

Moneda
Dobra

Superficie
964 km²

Densidad
162 hab./km²

Idioma
Portugués, criollo

 ## Sierra Leona

Habitantes
4 764 000

Capital
Freetown

Moneda
Leone

Superficie
71 740 km²

Densidad
66 hab./km²

Idioma
Inglés

Singapur

Habitantes
4 183 000

Superficie
618 km²

Capital
Singapore

Densidad
6 768 hab./km²

Moneda
Dólar de Singapur

Idioma
China, malayo, tamil, inglés

Sudán

Habitantes
32 878 000

Superficie
2 505 810 km²

Capital
Jartum

Densidad
13 hab./km²

Moneda
Dinar sudanesa

Idioma
Árabe

Siria

Habitantes
17 381 000

Superficie
185 180 km²

Capital
Damasco

Densidad
94 hab./km²

Moneda
Libra siria

Idioma
Árabe

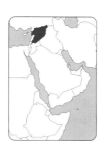

Suecia

Habitantes
8 867 000

Superficie
449 960 km²

Capital
Estocolmo

Densidad
20 hab./km²

Moneda
Corona sueca

Idioma
Sueco

Somalia

Habitantes
9 480 000

Superficie
637 660 km²

Capital
Mogadiscio

Densidad
15 hab./km²

Moneda
Chelín somalí

Idioma
Somalí, árabe

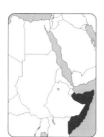

Suiza

Habitantes
7 171 000

Superficie
41 288 km²

Capital
Berna

Densidad
174 hab./km²

Moneda
Franco suizo

Idioma
Alemán, francés, italiano, romanche

Sri Lanka

Habitantes
18 910 000

Superficie
65 610 km²

Capital
Colombo

Densidad
288 hab./km²

Moneda
Rupia de Sri Lanka

Idioma
Cingalés, tamil

Surinam

Habitantes
432 000

Superficie
163 270 km²

Capital
Paramaribo

Densidad
3 hab./km²

Moneda
Florín de Surinam

Idioma
Holandés (oficial), inglés

Swazilandia

Habitantes
747 000

Capital
Mbabane

Moneda
Lilangeni

Superficie
17 360 km²

Densidad
43 hab./km²

Idioma
Swazi, inglés

 Tayikistán

Habitantes
6 195 000

Capital
Dushambé

Moneda
Rublo tayiko

Superficie
143 100 km²

Densidad
43 hab./km²

Idioma
Tayiko

 Tailandia

Habitantes
62 193 000

Capital
Bangkok

Moneda
Baht

Superficie
514 000 km²

Densidad
121 hab./km²

Idioma
Thai, inglés

 Timor Oriental

Habitantes
739 000

Capital
Dili

Moneda
Dólar EE UU

Superficie
14 874 km²

Densidad
50 hab./km²

Idioma
Tetum

 Taiwán

Habitantes
22 548 000

Capital
Taipei

Moneda
Nuevo dólar de
Taiwan

Superficie
35 980 km²

Densidad
627 hab./km²

Idioma
Chino mandarino

 Togo

Habitantes
4 801 000

Capital
Lomé

Moneda
Franco CFA

Superficie
56 790 km²

Densidad
85 hab./km²

Idioma
Francés, dialectos africanos

 Tanzania

Habitantes
36 276 000

Capital
Dodoma

Moneda
Chelín tanzano

Superficie
945 090 km²

Densidad
38 hab./km²

Idioma
Swahili, inglés

 Tonga

Habitantes
103 000

Capital
Nuku'alofa

Moneda
Pa'anga

Superficie
699 km²

Densidad
147 hab./km²

Idioma
Tongano, inglés

Trinidad y Tobago

Habitantes
1 298 000

Capital
Puerto España

Moneda
Dólar de T. y Tobago

Superficie
5 130 km²

Densidad
253 hab./km²

Idioma
Inglés (oficial)

 Tuvalú

Habitantes
10 000

Capital
Fongafale

Moneda
Dólar australiano

Superficie
26 km²

Densidad
385 hab./km²

Idioma
Tuvalvano e inglés

 Túnez

Habitantes
9 728 000

Capital
Túnez

Moneda
Dinar tunecino

Superficie
163 610 km²

Densidad
59 hab./km²

Idioma
Árabe

 Ucrania

Habitantes
48 902 000

Capital
Kiev

Moneda
Hrivna

Superficie
603 700 km²

Densidad
81 hab./km²

Idioma
Ucraniano (oficial), ruso

 Turkmenistán

Habitantes
4 794 000

Capital
Asjabad

Moneda
Manat

Superficie
488 100 km²

Densidad
10 hab./km²

Idioma
Turkmeno

 Uganda

Habitantes
20 004 000

Capital
Kampala

Moneda
Chelín de Uganda

Superficie
236 040 km²

Densidad
106 hab./km²

Idioma
Inglés (oficial), luganda

 Turquía

Habitantes
70 318 000

Capital
Ankara

Moneda
Lira turca

Superficie
780 576 km²

Densidad
90 hab./km²

Idioma
Turco

 Uruguay

Habitantes
3 391 000

Capital
Montevideo

Moneda
Peso uruguayo

Superficie
176 215 km²

Densidad
19 hab./km²

Idioma
Español (oficial)

Uzbekistán

Habitantes
25 705 000

Superficie
447 400 km²

Capital
Taskent

Densidad
52 hab./km²

Moneda
Som

Idioma
Uzbeko

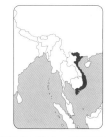 # Vietnam

Habitantes
80 278 000

Superficie
333 000 km²

Capital
Hanoi

Densidad
241 hab./km²

Moneda
Nuevo dong

Idioma
Vietnamita

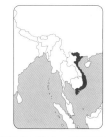

 # Vanuatú

Habitantes
207 000

Superficie
12 189 km²

Capital
Port Vila

Densidad
17 hab./km²

Moneda
Vatu

Idioma
Bislama, inglés, francés

 # Yemen

Habitantes
19 315 000

Superficie
527 968 km²

Capital
Sanaa

Densidad
36 hab./km²

Moneda
Rial yemení

Idioma
Árabe

 # Vaticano, Ciudad del

Habitantes
780

Superficie
0,44 km²

Capital
Ciudad del Vaticano

Densidad
1 772 hab./km²

Moneda
Euro

Idioma
Italiano (oficial) y latín
(en actos oficiales)

 # Yibuti

Habitantes
693 000

Superficie
23 200 km²

Capital
Yibuti

Densidad
30 hab./km²

Moneda
Franco de Yibuti

Idioma
Francés, árabe

 # Venezuela

Habitantes
25 226 000

Superficie
912 050 km²

Capital
Caracas

Densidad
28 hab./km²

Moneda
Bolívar

Idioma
Español (oficial)

 # Zambia

Habitantes
10 698 000

Superficie
752 610 km²

Capital
Lusaka

Densidad
14 hab./km²

Moneda
Kwacha

Idioma
Inglés (oficial), lenguas bantúes

Zimbabwe

Habitantes
12 835 000

Superficie
390 580 km²

Capital
Harare

Densidad
33 hab./km²

Moneda
Dólar de Zimbabwe

Idioma
Inglés (oficial), shona, sindebele

A

B

C

D

E

H

I

J

M

N

O

P

Q

R

S

T

U

V

W

Y

Z

Índice de Obras

C

E

N

Ñ

S

T

U

V

W

Y

Z